« BYE-BYE MAMAN ! »

Fabrice de Pierrebourg

« BYE-BYE MAMAN ! »

CARNET D'ADOS RADICALISÉS

RÉCIT

LES ÉDITIONS **LA PRESSE**

Catalogage avant publication de Bibliothèque et Archives nationales du Québec et Bibliothèque et Archives Canada

Pierrebourg, Fabrice de

« Bye-bye maman ! » : carnet d'ados radicalisés
ISBN 978-2-89705-559-2

1. Terrorisme - Québec (Province). 2. Islamisme - Québec (Province).
3. Jihād. 4. Jeunesse - Activité politique - Québec (Province).
5. Radicalisation - Québec (Province). I. Titre.

HV6433.C32I85 2017   363.325   C2017-942013-5

Présidente : Caroline Jamet
Directeur de l'édition : Jean-François Bouchard
Directrice de la commercialisation : Sandrine Donkers
Responsable, gestion de la production : Emmanuelle Martino
Communications : Annie-France Charbonneau

Éditeur délégué : Yves Bellefleur
Conception graphique : Simon L'Archevêque
Illustrations : Augustin de Baudinière
Photo de l'auteur : Yasmina Bouabid
Révision linguistique : Michèle Jean
Correction d'épreuves : Élise Tétreault

L'éditeur bénéficie du soutien de la Société de développement des entreprises culturelles du Québec (SODEC) pour son programme d'édition et pour ses activités de promotion.

L'éditeur remercie le gouvernement du Québec de l'aide financière accordée à l'édition de cet ouvrage par l'entremise du Programme de crédit d'impôt pour l'édition de livres, administré par la SODEC.

Nous reconnaissons l'aide financière du gouvernement du Canada par l'entremise du Fonds du livre du Canada (FLC).

LES ÉDITIONS LA PRESSE
750, boulevard Saint-Laurent
Montréal (Québec)
H2Y 2Z4

« MÉFIEZ-VOUS DES ENFANTS SAGES »
MI-JANVIER 2015

Le léger rideau du salon qui s'écarte, une petite main qui apparaît à travers la vitre constellée de flocons de neige et qui s'agite deux ou trois fois en guise de petit coucou furtif avant de disparaître… Puis le rideau qui reprend sa place derrière la fenêtre.

« Je n'oublierai jamais ce geste. Cette main, c'est la dernière image que j'ai de mon fils », raconte la mère de Karim d'une voix douce et posée. Quelques minutes plus tôt, ce garçon prévenant et souriant, apprécié dans le voisinage, toujours prêt à rendre service, lui avait proposé spontanément d'aider sa petite sœur à enfiler ses vêtements de neige, ses grosses bottes d'hiver et son sac à dos d'école. Comme chaque matin de semaine, c'était un peu la course dans la maison. L'heure filait. La petite risquait d'être en retard à l'école. Leur mère stressait. « T'inquiète pas, maman, je vais l'habiller », avait dit Karim sur un ton apaisant. « Bye-bye maman… bye-bye ! », leur avait lancé le jeune garçon lorsque sa mère et sa sœur franchirent enfin le seuil de la porte. «Avec le recul, ses bye-bye n'étaient pas normaux», me dit-elle lorsqu'elle se remémore cette scène a priori banale, mais, en fait, prélude à un cauchemar non annoncé.

Le jeune garçon n'a plus jamais donné signe de vie à ses parents après ce matin glacial et neigeux de janvier 2015. Ce dernier coucou de la main adressé à sa maman qui venait de s'installer au volant de sa voiture signifiait un adieu. Karim le savait. Le voilage de la fenêtre du salon qui retombait abruptement ressemblait au rideau d'un théâtre qui plonge vers le plancher de la scène pour annoncer la fin d'un acte. Karim, tout juste âgé de 18 ans, a disparu quelques heures plus tard en n'emportant que son ordinateur et deux t-shirts exhumés de son garde-robe. Il avait prévenu qu'il passerait la nuit chez un ami. En vérité, il s'envola de Montréal vers le Moyen-Orient avec 500 $ en poche en compagnie d'autres jeunes. Un exil préparé en catimini depuis des semaines. À quelques kilomètres de là, le même drame secouait la famille de la jeune Rima, 18 ans. Elle aussi était introuvable. Elle aussi avait parlé d'une nuit chez une copine. Elle aussi avait menti. Son père et sa mère aussi n'avaient «rien vu venir».

Lorsque tous ces parents affolés déclarèrent leurs disparitions dans un poste de police local, il était déjà trop tard. La thèse de la fugue fut rapidement évacuée par les policiers et leurs dossiers transmis aux enquêteurs spécialisés de la GRC chargés de la lutte au terrorisme.

Il fallait se rendre à l'évidence. Karim, Rima et cinq autres amis s'étaient volatilisés quelque part dans la zone de conflit irako-syrienne.

Quatre mois plus tard, huit autres jeunes garçons et filles s'apprêtaient à monter dans un avion en partance pour Istanbul, ultime étape avant la Syrie, lorsqu'ils furent interceptés de justesse par la police fédérale canadienne.

Quant à Ali, 15 ans, il a échoué lui aussi là où Karim a réussi trois mois plus tard. Il a été arrêté avant qu'il réalise son rêve de quitter le Canada qu'il considérait alors, selon ses mots, comme une terre de guerre qu'il est légitime de piller et de fuir. Cet adolescent, élève studieux dans une école privée réputée et sportif accompli, venait de braquer un commerçant pour financer son voyage sans retour. Il est devenu depuis le premier mineur condamné par la justice canadienne pour avoir voulu participer aux activités d'un groupe terroriste à l'étranger.

Ce gamin intelligent et au grand cœur était à mon avis certainement trop jeune pour avoir eu pleine conscience de la gravité de ses gestes et de la folie de ses intentions. Trop jeune aussi pour résister à l'endoctrinement et à l'instrumentalisation de son empathie naturelle. Ali est devenu une jurisprudence. Sa condamnation sera exhumée par les avocats dans leurs plaidoiries chaque fois que viendra le temps de décider d'une peine à infliger à d'autres individus reconnus coupables en vertu de cet article 83.181 du Code criminel.

Cette «triste histoire», pour reprendre les mots de la juge de la Chambre de la jeunesse qui a condamné Ali, est la colonne vertébrale du présent ouvrage. Elle l'a inspiré. Et elle m'a marqué en tant que père avant tout. Dites-vous que la plongée vertigineuse d'Ali dans les ténèbres pourrait être aussi celle de n'importe quel adolescent imprégné par une idéologie violente politique, religieuse ou reliée à une cause. Mais la suite de son histoire suscite aussi de l'espoir.

Le fléau des mineurs séduits par le mirage djihadiste a pris une ampleur exponentielle en Occident, en particulier en Europe, en même temps que l'État Islamique accroissait son emprise sur le terrain en Syrie et en Irak. Mais la prise en charge de ces jeunes dont le parcours peut ressembler à celui d'enfants soldats n'en est encore qu'à ses balbutiements. Tous les protagonistes de la lutte au terrorisme, des policiers aux juges en passant même par les éducateurs, psychologues et travailleurs sociaux, doivent apprendre à composer avec ces jeunes en errance qui n'ont rien à voir avec leur clientèle habituelle du même âge.

L'histoire de ces gamins tels Ali, Karim, Rima et d'autres que vous découvrirez est perturbante. Elle intrigue autant qu'elle inquiète. Parce que leur profil chambarde les idées reçues. Atypique diront certains, au mieux. Pourquoi? Parce qu'on vous raconte souvent que ces jeunes entraînés sur la route du djihad ont tous le même profil. Qu'ils sont forcément tous des petits cons psychopathes, frustrés sexuellement, asociaux, drogués (le mythe du Captagon, drogue des djihadistes…), en situation d'échec scolaire et déjà criminalisés…

Ignorez ces foutaises!

Elles n'ont souvent qu'un but: se rassurer collectivement.

Vous vous demanderez alors ce qui a pu pousser un ado de 15 ans sans aucun antécédent criminel, ou ces jeunes adultes d'à peine 18 ans que rien ne prédestinait à un tel destin, à vouloir tout quitter pour rejoindre les rangs de l'un des plus terrifiants groupes terroristes contemporains? «Ce sont les enfants sages, Madame, qui font les révolutionnaires les plus terribles, écrivait le Français Jean-Paul Sartre dans sa pièce de théâtre *Les mains sales*. Ils ne disent rien, ils ne se cachent pas sous la table, ils ne mangent qu'un bonbon à la fois, mais plus tard ils le font payer cher à la société.»

Tous ces enfants sages qui sont, ne l'oublions pas, des enfants comme les autres, rêvaient d'une nouvelle vie dans un autre monde. Un autre monde fantasmé, presque imaginaire, fruit d'une idéologie du chaos. Pourtant, la vie leur souriait. Mais ils ne le savaient pas. Ou ils refusaient de l'admettre. Ils se sentaient exclus parfois pour de bonnes raisons ou parce qu'ils avaient été manipulés. Le résultat était le même: ils en étaient arrivés à percevoir le monde qui les entourait en noir et blanc, sans le moindre recul, sans la moindre nuance de gris. Cela semble inconcevable mais, pour eux, un bonheur multicolore était en train d'éclore quelque part dans un vaste territoire en proie aux combats et situé à cheval sur la Syrie et l'Irak. En fait, il s'agissait d'une fuite en avant, voire d'un aller simple vers l'enfer, vers le cauchemar.

Mon travail de journaliste m'oblige à traiter le terrorisme – attentats, procès, etc. – sous un angle factuel et quasi chirurgical. Ce sujet difficile et sombre me fascine depuis très longtemps (d'abord à titre personnel avant de devenir professionnel). Mais il m'apparaît de plus en plus pesant, vicié et même toxique. Probablement parce que les événements tragiques se succèdent sur la planète à un rythme jamais imaginé quelques années auparavant. Probablement aussi parce que ce travail est incompris ou mal perçu. Il suscite parfois de l'animosité et des procès d'intention à mon endroit. Mais cela fait partie du jeu. Ce qui me préoccupe plus, en revanche, c'est la tentation chez certains de récupérer et de détourner ce travail journalistique pour servir la propagande de groupes haineux ciblant une communauté. Le tout dans un contexte social et politique de plus en plus délétère dans un Québec où l'agressivité étouffe de plus en plus le débat serein.

Mon métier et cette quête du «pourquoi?» m'ont mené sur le terrain, de l'Afghanistan au Liban ou encore dans le nord de l'Irak aux premières semaines de la longue opération de reprise de la ville de Mossoul par les troupes irakiennes. Ces périples en zones troublées sont un complément nécessaire. Pour voir de mes propres yeux. Sans filtre. Pour écouter. Pour mieux saisir dans quel contexte ces conflits ont éclaté et perdurent. Parce que le terrorisme qui ensanglante le monde, y compris en Occident, ne doit pas être considéré comme une succession d'événements strictement criminels ancrés localement. Ce sont souvent aussi des actes politiques imbriqués dans un contexte international qui leur a servi d'incubateur.

À travers cet ouvrage, je veux offrir un regard différent sur ce phénomène en le situant au milieu de ces jeunes et de leurs proches. Sans jugement de valeur. Il est fondamental de leur donner l'occasion de s'exprimer. Ce n'est ni un essai ni un livre d'enquête. Je n'en écrirai plus sur ce thème. Pour les raisons évoquées plus haut. Et parce que je crois avoir fait le tour du jardin de cette idéologie qui va marquer incontestablement le XXIᵉ siècle.

Sans excuser tous leurs gestes, j'éprouve de l'empathie pour plusieurs de ces jeunes fougueux à la poursuite de leur identité et de ce qu'ils pensaient être leur idéal. Il faut également saluer leurs parents. Ils sont admirables. Nous devons les considérer eux aussi comme des victimes. Après des mois de chagrin et de douleur vint le temps de ces questions qui les hantent encore et encore : pourquoi ? Qu'ai-je fait de mal ou pas assez fait pour mon enfant ? Qui a empoisonné ainsi son âme ? Les mêmes questions que se posent tous les parents dont les enfants embrassent une idéologie violente. Les mêmes questions que se posent certainement les proches du jeune Québécois qui a décidé un soir d'hiver 2017 d'entrer dans une mosquée de Québec et d'y perpétrer un carnage. Autre radicalisation mais mêmes conséquences dramatiques.

« Bye-bye maman ! » est un récit humain, simple, basé sur des faits reconstitués ainsi que des témoignages que

j'ai recueillis, mais légèrement romancé. Ali ne s'appelle pas Ali dans la vraie vie. Il est renommé dans cet ouvrage et plusieurs faits sont modifiés ou occultés pour protéger son identité et ne pas compromettre sa réinsertion future. Karim, Anna, Sara et d'autres évoqués aussi sont des prénoms fictifs. Par respect pour eux et pour leurs proches.

Leur identité nous importe peu.

C'est leur histoire qui mérite notre attention.

COUPABLE
17 DÉCEMBRE 2015

«Le contenu de l'ordinateur de l'accusé nous en apprend beaucoup sur ses préoccupations et ses intérêts. On y trouve un nombre impressionnant de textes, conversations et photos, téléchargés et/ou visionnés par l'accusé, visant à impressionner et influencer le spectateur, notamment des enfants pendus, des têtes exposées suite à des décapitations…»

Cela fait maintenant plus d'une heure trente que la juge de la Chambre de la jeunesse de Montréal égrène son jugement dans un silence remarquable. Le sourire à priori rassurant de cette quinquagénaire aux cheveux blonds mi-longs et portant des lunettes colorées dissimule sans aucun doute un caractère bien trempé. Avant de commencer la lecture de son document de 44 pages d'une trentaine de lignes chacune, la magistrate avait averti l'assistance que son exercice serait long et que, compte tenu de la gravité du moment, il serait hors de question qu'elle soit dérangée par du bruit ou des allées et venues…

La quarantaine de sièges réservés au public dans la salle 1.01 sont tous occupés. Par des journalistes, mais aussi de toute évidence par des policiers enquêteurs de la police de Montréal et des collègues de la section chargée de la sécurité nationale à la Gendarmerie royale du Canada (GRC). Eux, on les reconnaît au premier coup d'œil au petit renflement de la veste de leur complet au niveau de la ceinture, renflement qui trahit la présence de leur arme de poing dont ils ne se séparent jamais.

Le public de curieux est absent à la Chambre de la jeunesse contrairement à ce que l'on voit au palais de justice, dans le Vieux-Montréal, là où sont jugés les adultes. Peut-être cette cause leur paraît-elle banale ? Là-bas, les spectateurs sont légion. Des proches des accusés et des victimes, mais aussi des habitués. S'ils ne passaient pas leurs journées au palais de justice, certains de ces voyeurs assidus, surnommés les « rats des palais », seraient probablement affalés sur leur canapé à tromper leur ennui devant une chaîne de télé en continu. Ces figurants pathétiques font partie du décor. Ils connaissent presque tout le bottin du Barreau, chaque juge, chaque constable chargé de la sécurité, chaque journaliste auprès de qui ils s'improvisent commentateurs, analystes judiciaires ou même… sources. Ils se transforment en guides pour leurs amis qu'ils convient à venir assister, le temps d'une journée, au grand théâtre judiciaire. Ils arpentent les couloirs, passent de salle en salle avec une avide prédilection pour les causes dites médiatiques, celles où s'étalent des meurtres atroces, des règlements de comptes mafieux, de la corruption politique ou de sordides dossiers de pornographie juvénile.

La cause qui monopolise l'attention des journalistes ce matin à la Chambre de la jeunesse, au nord de Montréal, est pourtant extraordinaire. L'accusé est un jeune garçon de maintenant 16 ans qui a le triste privilège d'être le premier mineur canadien poursuivi en vertu de l'article 83.181 de l'arsenal législatif antiterroriste. Le premier pour avoir, selon l'acte d'accusation, tenté de quitter le Canada pour participer au djihad à l'étranger. Et désormais le plus jeune accusé reconnu coupable de terrorisme depuis dix ans. Cette infraction 83.181 a été ajoutée au Code criminel en 2013 pour tenter d'endiguer les départs de jeunes « radicalisés » vers des zones de guerre, en particulier la Syrie. Celui qui en est reconnu coupable s'il est adulte, ou mineur mais jugé comme tel, pourrait moisir en prison pendant dix ans...

« Selon la Défense, l'accusé était confus, et on ne peut accorder d'importance à ses propos, puisqu'il s'agit de propos maladroits d'un enfant de 15 ans qui ne comprend pas le sens des mots. Cette affirmation est contredite par l'ensemble de la preuve. L'adolescent n'est aucunement confus. Il est en contrôle. Durant les interrogatoires, il est calme, répond avec aplomb, refuse parfois de le faire parce qu'il comprend les conséquences de ses paroles. Aucune agressivité n'est perceptible. Ses idées sont remarquablement bien structurées et exprimées. Il est vigilant, éveillé et déterminé. « Il est attiré par le djihad, et navigue entre Jahbat al-Nosra et l'État Islamique… »

La rédaction d'un jugement ne relève pas d'une quelconque improvisation. Les magistrats utilisent un canevas type qui leur sert de trame narrative, peu importe le sujet jugé. Un jugement a un rythme. Imaginez une symphonie dont l'enchaînement des mouvements est écrit d'avance. Les faits étalés lors du procès sont passés en revue ainsi que les positions des parties, vient ensuite la discussion juridique puis, enfin, la décision. « On écrit pour le perdant », a-t-on coutume de dire dans le milieu judiciaire. Sous-entendu : ce perdant doit comprendre ce qui a motivé le juge à le débouter de sa requête ou à le déclarer coupable.

Ce carcan n'empêche pas des juges d'étirer l'élastique du suspense tel un bourreau qui prendrait d'abord plaisir à freiner la chute du couperet de la guillotine et attendrait qu'il soit à quelques centimètres au-dessus de la gorge du condamné à mort pour le laisser choir sèchement.

« … Je tiens à préciser, en outre, que d'avoir 15 ans n'est pas une défense… »

Pendant ce temps-là, fidèle à son habitude depuis le début des procédures, le jeune Ali démontre peu d'intérêt en apparence pour ce qui se passe et se dit dans cette salle. L'accélération soudaine de la course du couperet de la guillotine ne semble pas l'ébranler.

De temps en temps, la juge marque une pause. Elle lève les yeux de ses feuilles, puis tourne furtivement sa tête en direction du box des accusés. Elle cherche à croiser le regard de l'adolescent. Elle scrute son visage en quête de la moindre émotion, de la moindre expression, du moindre rictus. Le langage non verbal est important pour les magistrats. De leur poste en surplomb, ils peuvent observer tous ces petits gestes, ces signes discrets, l'attitude des accusés mais aussi des avocats qui peuvent être révélateurs. Mais Ali, vêtu sobrement d'un polo noir et d'un pantalon beige, affiche au contraire son indifférence de façon ostentatoire. À moins que ce ne soit de l'inconscience. Ses yeux sont souvent fermés. Lorsqu'ils sont ouverts, ils fixent le mur ou le plafond. Ses bras sont croisés. Parfois, il se tourne les pouces. Ou tapote nerveusement le sol avec un pied, signe d'irritation, d'anxiété ou de stress. Ou tout ça à la fois.

Il ne regarde pas non plus son père qui est assis juste derrière moi. En de rares occasions, le garçon jette quand même un œil sur les journalistes qui noircissent avec frénésie leurs calepins.

« … La preuve révèle hors de tout doute raisonnable que l'accusé a tenté de prendre un avion pour la Turquie et son intention émanant de l'ensemble de la preuve était de joindre la Syrie pour combattre dans les rangs de l'État Islamique… »

Le dénouement approche. La juge quitte les sentiers de l'argumentaire juridique pour se lancer dans un bref réquisitoire à saveur éditoriale…

«… J'ajouterai que cette triste histoire est celle d'un garçon envahi par les messages de violence, de vengeance et de guerre émis par l'État Islamique. En alertant les autorités, ses parents lui ont probablement sauvé la vie. Ce dossier illustre que la lutte que l'on s'apprête à mener contre la radicalisation nécessitera non seulement des lois, mais de nombreux efforts stratégiques. Notre jeunesse n'est pas à l'abri de la propagande djihadiste… Par conséquent et pour ces motifs, le Tribunal déclare l'accusé coupable sur les deux chefs d'accusation… »

Voilà ! Le couperet est tombé. Coupable ! La salle est toujours silencieuse. Même pas un murmure. Les journalistes continuent de noircir leurs calepins. Ses avocats encaissent le coup. Ali ne bronche pas. Quelques minutes plus tard, il se lève tranquillement et quitte le box des accusés encadré par deux agents correctionnels sans un mot, ni même un regard pour son père. La lourde porte se referme sur lui. Ali est escorté vers le stationnement souterrain où l'attend le fourgon qui doit le reconduire entre les murs du centre jeunesse.

Il connaîtra sa sentence dans quatre mois.

Son père se lève, rabat la capuche de son blouson d'hiver sur sa tête et quitte rapidement la salle en plaquant contre son visage un dossier rouge d'où dépassent plusieurs feuilles. On entend le crépitement des appareils photo. Les lumières des flashs et des caméras qui suivent son mouvement projettent sur les murs des ombres stroboscopiques. Je regarde cet homme légèrement râblé s'éloigner d'un pas rapide en rasant les murs, suivi à distance par les deux avocats de son fils. Il n'entendra pas la procureure de la Couronne cernée par les micros et les caméras adresser «ses pensées à la famille qui vit certainement des moments difficiles».

LA COULEUR DES AILES DU PAPILLON
ANNÉES 2000

Le jeune Ali est né dans un pays du Maghreb à la fin des années 1990. Toute la famille fait ses valises et émigre au Québec au début des années 2000, en quête d'un avenir meilleur, alors qu'il n'est encore qu'un petit gars. Un tel changement de vie peut être vécu comme une épreuve même pour un enfant qui, malgré son jeune âge, ne comprend pas toujours pourquoi on le force à se couper de ses racines, à laisser derrière lui ses souvenirs, ses amis, ses grands-parents, son petit territoire de jeu.

Une terre natale qu'il est ensuite difficile pour des raisons économiques de retrouver chaque été lorsque l'on habite à des milliers de kilomètres, en Amérique du Nord, et qu'il faut acheter plusieurs billets d'avion. Ali mentionnera plus tard que ce déracinement outre-Atlantique était le choix de ses parents et non le sien, comme pour signifier qu'il s'agissait d'une blessure jamais guérie.

Ce garçon semble néanmoins rapidement s'adapter à son nouvel environnement. Il excelle à l'école, d'abord au primaire puis au secondaire. C'est un élève studieux habitué à caracoler en tête parmi les premiers de classe. Un garçon intelligent, un peu timide, qui n'a pas besoin de fournir beaucoup d'efforts pour obtenir de très bons résultats.

Il devient aussi un sportif passionné par les arts martiaux. Ali passera haut la main le concours d'entrée dans une école privée au secondaire. Un changement qui, bien sûr, exigera de la part de ses parents un effort financier significatif. Mais ils estimèrent que c'était un sacrifice qui méritait d'être fait afin qu'Ali réussisse dans sa vie. Qu'il mette toutes les chances d'intégration de son côté.

Ce changement d'école ajouté à un déménagement aura en revanche des conséquences négatives sur le petit réseau d'amis qu'Ali s'était bâti au primaire, dans son quartier. Petit à petit, le jeune garçon perd contact avec ses copains d'enfance. Ce nouveau déracinement survient au moment où il commence à vivre un choc identitaire auquel se greffent les tourments inhérents à l'adolescence – âge où l'on se cherche et où l'on veut s'engager dans une cause – ainsi qu'un contexte international, en l'occurrence le conflit syrien, qui le perturbe.

La tête d'Ali ressemble désormais à un château de cartes instable. Il navigue sur Internet en quête de réponses à ses multiples questionnements. Il consomme avec de plus en plus de boulimie textes et vidéos sur la religion musulmane. Il s'imprègne aussi des écrits de maîtres à penser orthodoxes à l'influence négative, aux yeux de son père. Les policiers canadiens qui ont scruté le parcours de plusieurs de ces jeunes qui ont (re)découvert leur religion, mais aussi celui de convertis, croient que plusieurs d'entre eux n'ont eu alors une compréhension de cette même religion qu'à travers le prisme de la propagande diffusée par les groupes djihadistes et l'interprétation qu'ils en font. Le tout étant servi dans plusieurs langues pour en faciliter l'absorption et la digestion. Bien souvent, comme beaucoup de ces jeunes ne parlent ni ne lisent l'arabe, ils se retrouveraient ainsi privés de vraies références théologiques fondamentales. Ils prendraient au pied de la lettre le Coran, la Sunna et la tradition prophétique de même que toutes les pratiques qui en découlent sans le recul nécessaire qui leur permettrait de relativiser et de les replacer dans leur contexte historique.

Un psychologue me propose de son côté une analogie avec le papillon dont la couleur des ailes, dit-on, serait en partie la conséquence de ce qu'il a absorbé et des caractéristiques du tronc protecteur et nourricier sur lequel il était fixé alors qu'il n'était encore qu'une petite chenille. Ce n'est qu'une fois devenu papillon que l'on découvre sa couleur. Point de fatalité ici, néanmoins. Le papillon avait d'une certaine façon le choix de devenir ce qu'il est.

Ali a dérapé progressivement, alors qu'il n'était qu'une petite chenille de 12-13 ans, vers des sites plus extrêmes tel Ansar Al-Haqq (« Partisans de la vérité »). Lancé en 2007 (et fermé en 2015), Ansar Al-Haqq, précurseur dans le domaine, était devenu rapidement un forum de discussion de référence pour la mouvance djihadiste francophone suscitant évidemment l'attention des milieux antiterroristes et judiciaires occidentaux. L'un des administrateurs de ce site était un jeune père de famille français converti, issu d'une famille athée et communiste, qui se faisait appeler Abou Siyad Al-Normandy (il aurait été tué en Syrie en 2016). Lors de son procès, en 2014, on a appris que le forum de discussion comptait près de 4 000 membres qui avaient publié autour de 100 000 messages. Des chiffres qui donnent le vertige. Et parmi eux, probablement Ali.

Celui-ci télécharge aussi en cachette le *Lone Mudjahid Pocket Book*, un terrifiant guide numérique d'une soixantaine de pages en couleurs destiné au parfait petit aspirant terroriste qui veut apprendre comment fabriquer un détonateur à distance ou une bombe artisanale au peroxyde d'acétone avec des composants usuels qu'on retrouve « dans la cuisine de sa mère », ou bien encore comment sécuriser ses communications. Ce document a été conçu et distribué par la prolifique branche yéménite d'Al-Qaïda à qui l'on doit aussi les incontournables magazines *INSPIRE*. « Plusieurs croient que pour défendre la *oumma* (la communauté musulmane dans sa globalité), il est nécessaire de voyager afin de rejoindre les moudjahidines et de s'entraîner dans leurs camps, lit-on en guise de préambule. Mais nous disons aux musulmans en Amérique et en Europe qu'il existe une solution meilleure et plus facile. » En l'occurrence faire le djihad à domicile.

Petit à petit, le jeune change d'attitude à la maison. Les « bonjour papa » et « bye maman » se font rares.

Lorsqu'il rentre de l'école, parfois des heures après la fin des cours, son premier réflexe est de s'emparer de l'ordinateur et de se cloîtrer dans sa chambre au sous-sol, un casque d'écoute sur les oreilles. Seuls ses jeunes frère et sœur captent encore son attention.

Ali se renferme, devient plus rigide, plus intransigeant. « Ça va lui passer, c'est sa crise d'adolescence, il est en rébellion », soupirent ses parents. Parfois, son père ouvre la porte de la chambre pour jeter un œil et surprend toujours son fils devant son ordinateur.

– Que fais-tu ?

– Rien, je fais mes devoirs, marmonne le jeune.

Ils ne s'inquiètent pas outre mesure d'autant plus qu'il continue de briller en classe. Il enchaîne les 80 % et 85 %. Jusqu'au jour où le père de famille décide de fouiller dans l'historique de l'ordinateur. Juste pour vérifier… Et là, c'est le choc. Il découvre que son fils passe une partie de ses soirées à naviguer sur Hansar Al-Haqq, mais aussi à visionner sur YouTube des vidéos de la guerre en Syrie. « Ne fais plus jamais ça », tonne le père. Ali promet. Mais, en cachette, l'ado continue de carburer à ces images violentes. Il se promène aussi sur Facebook grâce à un compte ouvert en secret. Et chaque fois, il prend bien soin d'effacer l'historique de sa navigation… Ali est tellement accro qu'un jour, un de ses professeurs lui confisque son ordinateur après qu'il eut passé toute sa journée de cours rivé à son écran. Une nouvelle dispute éclate à la maison. Le père d'Ali est vraiment furieux.

– Pourquoi tu as fait ça ?

Ali s'emporte.

– C'est rien… Arrête p'pa… Je regardais juste des trucs sur Internet.

La trajectoire radicale d'Ali ressemble à celle de plusieurs autres jeunes Québécois et Québécoises pour qui le Printemps arabe a marqué grosso modo le début d'un processus aussi long que complexe. Tunisie, Égypte, Yémen, etc., puis Syrie… Ces adolescents suivirent avec assiduité au jour le jour ces révolutions relayées sur les réseaux sociaux. À cette euphorie néo-révolutionnaire s'ajouta un vrai regain de ferveur religieuse au Québec. « C'était un mouvement de mode, se souvient la jeune Sara. Il y avait des conférences pour les jeunes dans les mosquées qui connaissaient un franc succès. Beaucoup de jeunes se sont convertis ou reconvertis à cette époque-là. » Plusieurs filles exprimeront cette nouvelle ferveur pour un islam intégral par le port du *jilbab*, une longue tunique traditionnelle ample qui couvre tout leur corps, des cheveux aux pieds. Elles se photographient avec cette tenue et partagent leurs images sur les réseaux sociaux comme pour signifier qu'elles font partie du même clan. Cette « mode » vestimentaire va toutefois provoquer des *clashs* entre certaines de ces adolescentes et leurs parents avec pour conséquence d'accentuer une fracture déjà préoccupante au cœur du noyau familial. « Enlève-moi ce vêtement de terroriste », ordonne une mère à sa fille.

Pendant ce temps-là, la révolte en Syrie s'enlise. Ces jeunes se rendent à l'évidence : le Printemps arabe a été tué dans l'œuf par le régime de Bachar Al-Assad et ses alliés. C'est désormais la guerre totale. Les bombes pleuvent sur les villes et leurs habitants. Alors ils crient leur indignation et partagent des photos de femmes et d'enfants morts ou mutilés sur Facebook, Twitter ou Instagram. Paradoxe : autant ces scènes cauchemardesques leur arrachent des larmes, autant les vidéos de décapitation tournées par l'État Islamique peuvent les laisser de marbre.

Ces images d'enfants martyrisés qui circulent sans cesse sur les réseaux sociaux sont certainement de plus grands et plus efficaces vecteurs de « radicalisation » que les vidéos de propagande djihadiste. Pourquoi l'Occident n'accorde-t-il pas la même valeur à chaque vie humaine, qu'elle soit de Paris ou d'Alep ? se questionnent-ils.

« Ah ! c'étaient peut-être des djihadistes bébés. Les mécréants coulent tous de la même source », s'insurge sur Facebook un jeune Québécois en réaction à une vidéo YouTube sur le bombardement d'un hôpital ayant entraîné la mort de nourrissons. Quelques semaines plus tard, l'auteur de ce message est arrêté et accusé d'avoir voulu quitter le Canada pour rejoindre le groupe État Islamique.

Ils se sentent aussi envahis par ce puissant sentiment de culpabilité de pouvoir manger à leur faim, de marcher dans les rues avec insouciance et sans craindre les tirs de précision d'un *sniper* et de pouvoir dormir en paix, loin du fracas des bombes. D'avoir un avenir devant eux.

Un luxe et une chance que ne connaissent pas les enfants syriens, irakiens ou palestiniens. Ils sont rongés par les remords. Que puis-je faire pour être utile à la cause, moi, jeune Occidental nanti et choyé par la vie ?

Le ton de leurs propos devient plus vindicatif. Aux sentiments d'outrage et de colère s'ajoute la désillusion. Il y a, par exemple, cette conférence qui devait rassembler des prédicateurs venus de France annulée à la suite d'une controverse. Ces prêcheurs, dont certains propos sur les femmes et des minorités suscitent l'indignation en particulier dans la classe politique, ont paradoxalement une grosse cote de sympathie chez les jeunes de la communauté. Ils se reconnaissent lorsque ces prêcheurs leur parlent. Cette annulation est donc vécue comme une véritable douche froide.

Le processus de basculement dans la radicalisation violente est toujours encore aujourd'hui une « zone floue et confuse » dans la tête de Sara. « Même avec du recul, c'est difficile de reconstituer cette chronologie. Tout s'était entremêlé à l'époque... Ça ressemblait à ça », dit-elle en attrapant son stylo pour griffonner une feuille d'un trait d'encre bleue qui se croise et s'enchevêtre.

Plusieurs jeunes diront plus tard avoir été entraînés davantage dans cet engrenage de la radicalisation violente en 2012-2013 lors de l'épisode du projet de loi 60, plus connu sous le nom de Charte des valeurs. Ce débat qui s'est polarisé autour de la neutralité religieuse de l'État et de la place de la religion a engendré son lot de dérapages verbaux ou physiques, comme c'est souvent le cas lorsqu'il s'agit d'un important enjeu de société. Ce qu'ils lisaient, ce qu'ils entendaient dans les médias, les réseaux sociaux et même dans la rue, les remarques déplacées, les insultes, les voiles pointés du doigt, étaient autant de flèches qui leur transperçaient sans cesse le corps. Une peur irrationnelle les rongeait. Lorsqu'elle prenait le métro, Anna se tenait toujours loin des voies, le plus près possible du mur, et observait tous ceux qui entraient dans son périmètre immédiat. Elle avait vraiment une peur panique d'être précipitée sur les rails.

Cette ambiance délétère était un terreau fertile qui a rendu ces jeunes plus perméables aux idéaux dits radicaux et éventuellement au projet de société vanté par la redoutable machine de propagande de l'État Islamique.

Avec comme issue inéluctable le besoin de partir « là où on va t'accepter ».

Même si tu es né au Canada...

« C'est survenu à l'adolescence, moment où je me cherchais, poursuit Sara. Je vivais un mal-être. Pourtant, j'avais eu une enfance agréable et paisible. Je venais de décider de porter le voile. J'en étais fière. Et puis un jour, lorsque j'arrive à l'école, il y a cette prof de secondaire qui me lance en me voyant voilée : *Je te pensais plus intégrée que ça...* Petit à petit, j'en étais arrivée à la conclusion que je ne pouvais pas être Québécoise et musulmane. C'était incompatible. Sur Internet, je trouvais des discours, des textes qui martelaient cette thématique de l'Occident qui ne veut pas de nous. Que l'on devait donc choisir notre camp… Le vous ou le nous. On interprète ces propos à notre façon. Il y a cette haine qui s'installe. On devient paranoïaque. Et pour finir, il y a la rupture avec les parents. »

Cette rage s'est exprimée d'abord dans la rue. Beaucoup participent aux manifestations organisées contre le projet de loi honni. « On avait une cause à défendre. C'était une fierté de voir tous ces jeunes dans la rue. On était vraiment UNE communauté. »

C'est paradoxalement le dramatique attentat à la mosquée de Québec un soir de janvier 2017 qui fera réaliser à plusieurs de ces jeunes que leur pays d'adoption ne les rejetait pas et savait partager leur chagrin. Le vaste élan de solidarité qui suivit – les hommages, les marches, les vigies, les funérailles publiques des six victimes – leur fera chaud au cœur.

Bien sûr, il ne faudrait pas occulter le rôle des propagandistes et des agents de radicalisation dans ce processus. Tels des marionnettistes, ils ont manipulé avec habileté et doigté les cordes de cette colère et de cette quête identitaire qui se télescopaient avec les affres de l'adolescence. « Il ne nous a jamais directement dit d'aller en Syrie, mais il nous a inspirés à y aller à travers les choses qu'il nous racontait sur la religion », a confessé une jeune fille ayant voulu aller en Syrie lorsqu'elle évoque l'un de ces individus présents dans son entourage[1]. Le fait que ceux qu'ils accusent d'avoir manipulé leurs enfants ne soient pas inquiétés au Canada révolte plusieurs des parents de ces jeunes. «La justice ici est trop tolérante vis-à-vis de ces gens qui influencent nos enfants», s'insurge une mère dont le fils est parti en Syrie.

---

1. Centre de prévention de la radicalisation menant à la violence, *L'engagement des femmes dans la radicalisation violente*, rapport, octobre 2016, p. 85.

LE SCRS À LA PORTE
MARS 2014

La vie de la famille d'Ali bascule vraiment un jour de mars 2014. On sonne à la porte. Le père d'Ali ouvre. Devant lui, deux personnes : un homme et une femme. Ils lui présentent chacun un genre de portefeuille en cuir à l'intérieur duquel est collé un insigne émaillé bleu, or et rouge vif surmonté d'une couronne royale un peu *bling-bling*, leur photo et ces six mots sur lesquels ses yeux se figent : Service canadien du renseignement de sécurité (SCRS).

– Bonjour monsieur... Ma collègue et moi travaillons pour le gouvernement du Canada... au SCRS... Est-ce que l'on peut discuter quelques minutes avec vous ? C'est au sujet de votre fils.

La rencontre en personne fait partie de la routine des agents du SCRS. Elle intervient généralement au début d'une enquête. Puis, il peut y avoir une graduation dans les moyens utilisés. On peut éventuellement ajouter des opérations de filature. Et, si ça ne suffit pas, le SCRS peut avoir recours, avec l'autorisation d'un juge fédéral, à des moyens plus poussés comme les micros et les caméras cachés, l'écoute électronique et un GPS dissimulé dans l'automobile de la cible.

Les agents fédéraux aiment bien tabler sur l'effet que provoque une visite à l'improviste. C'est le *modus operandi* privilégié pour surprendre une « cible » chez elle ou à son travail lorsqu'elle est considérée comme potentiellement hostile. Mais pas toujours. Chez des gens ordinaires comme les parents d'Ali, et que l'on estime à priori collaborateurs, un petit coup de téléphone préalable pour convenir d'un rendez-vous dans les jours qui suivent pourrait au contraire provoquer un plus fort stress causé par l'angoisse durant ce laps de temps qu'une visite surprise.

Le quinquagénaire se retourne pour échanger un regard avec sa femme, qui s'est approchée de la porte, intriguée.

– Oui, je vous en prie… Entrez, entrez.

Dans sa tête, il est déjà clair que ces deux agents ne se sont pas déplacés pour quelque chose de futile. Immédiatement, il pense à l'attrait de son fils pour les sites djihadistes qui ont dû laisser des traces.

La conversation débute doucement autour de la table de la cuisine. Le père et la mère d'Ali d'un côté, les deux agents en face d'eux. Même si les entrevues du SCRS se déroulent hors du carcan policier ou judiciaire, elles ont un caractère intimidant. Chez beaucoup d'immigrants venant notamment du Moyen-Orient et de pays du

Maghreb, les services de renseignement ou de police rappellent de très mauvais souvenirs. Ils peuvent être synonymes de dérapages, de torture ou de disparitions subites. Alors, brusquer des parents déjà ébranlés serait contre-productif. Ce sont eux, les portes d'entrée. Sans soutien, sans consentement de leur part, il est impossible de discuter avec ces mineurs. Les parents doivent devenir des alliés, pas des murailles de Chine.

L'un des deux agents commence par expliquer la nature de leur travail. Il insiste sur le fait qu'ils ne sont pas des agents d'application de la loi. Qu'ils ne mènent pas d'enquêtes criminelles et n'ont pas de pouvoir d'arrestation. Qu'ils sont là pour conseiller le gouvernement canadien, le renseigner sur toutes sortes de menaces et qu'ils font la chasse aux espions étrangers. Un tourbillon d'informations qui a pour but de titiller la curiosité des parents et d'atténuer leur angoisse en les faisant se focaliser sur d'autres sujets périphériques.

Puis, ils font parler les parents sur leur vie, leur histoire, leur famille pour bien jauger le milieu dans lequel le jeune évolue. Parfois, dans des enquêtes d'envergure, il arrive que les agents demandent à l'un des psychologues attitrés au SCRS de dresser un profil de l'individu visé.

L'entretien glisse sur l'adolescent.

– Est-ce que vous saviez que votre fils est sur Facebook?

Le père fronce les sourcils :

– Non, nous ne savons pas. Nous-mêmes n'avons pas Facebook et nous n'avons jamais voulu que nos enfants aient un compte…

– D'accord… Je comprends. Mais regardez ceci… Ça, c'est son compte… Et ça, ce sont des extraits de ses conversations avec des individus bien connus…, poursuit l'un des deux agents tout en lui exhibant des captures d'écran imprimées tandis que sa collègue prend des notes dans un petit calepin noir.

Les parents d'Ali sont muets. Pétrifiés. Abasourdis de constater que leur garçon s'enfonce plus profondément qu'ils l'imaginaient dans ces abîmes de la terreur. Et désormais, c'est toute sa famille qui se retrouve dans la mire des autorités. Que va-t-il leur arriver ? Que penseront leurs amis, leurs proches, leurs voisins s'ils apprennent la nouvelle ?

– Est-ce que ces visages vous disent quelque chose ? reprend l'agent du SCRS.

– Non, vraiment pas. Mon fils n'a pas de visite ici, répond le père tout en observant l'ordinateur posé sur la table, un cadeau offert à Ali trois ans plus tôt par son grand-père pour fêter ses débuts au secondaire et perçu désormais comme un cheval de Troie qui a fait entrer le malheur dans leur maison.

Les deux agents font preuve d'empathie. Dans ce genre de situation, ils préconisent une approche plus douce, moins conflictuelle.

– Hum! Écoutez… On peut vous aider à trouver une solution pour éviter que sa situation s'aggrave. Comme je vous l'ai déjà dit, nous ne faisons pas d'enquête criminelle au SCRS, mais dès qu'on se rend compte que la menace est là, on n'a pas le choix d'avertir la GRC. Vous comprenez? Dans le cas d'Ali, ce n'est pas trop tard. Peut-être vous pourriez lui couper l'accès à certains sites Internet et aux réseaux sociaux. À part l'ordinateur, a-t-il un téléphone cellulaire?

– Euh, non.

– Bon, c'est déjà ça. Est-ce qu'il y aurait une possibilité de lui parler?

C'était probablement l'une des premières fois au Canada que des agents d'un organisme lié à la sécurité nationale s'intéressaient à un si jeune gamin. Pourtant, ce n'était qu'une question de temps. Les acteurs de la lutte au terrorisme en Occident voyaient déjà depuis un moment poindre cette menace incarnée par des individus de plus en plus jeunes, donc considérés comme plus imprévisibles. De quoi leur faire presque regretter avec nostalgie les complots d'« avant » plus structurés, mûris sur une plus longue échéance, donc en théorie plus faciles à identifier. De nouveaux acteurs qui bousculent les habitudes et dont il a fallu rapidement comprendre le *modus operandi* au risque d'être complètement largué.

On imagine très bien la perplexité de ces deux agents devant une si jeune cible d'enquête qui pourrait être leur propre fils. Les voici donc confrontés ce jour-là à un vrai dilemme entre, d'une part, leur mandat d'assurer la sécurité de la population et, de l'autre, prendre en considération l'avenir de ce jeune et lui donner une chance de se tirer de ce bourbier avant qu'il soit trop tard.

Avant de partir, l'un des deux agents note son numéro de téléphone sur un bout de papier qu'il laisse sur la table.

– Si vous avez le moindre doute, la moindre information qui peut nous aider, appelez-nous. N'importe quand. D'accord? Et, surtout, ne parlez à personne de notre visite. On aimerait que tout ceci reste confidentiel. Pour ne pas nuire à notre travail, mais aussi pour votre sécurité.

– Oui… bien sûr…, bredouille le père d'Ali encore tout chamboulé.

À ce moment-là, Ali ne semble pas avoir de contacts avec un groupuscule de jeunes radicalisés de Montréal, garçons et filles, qui songent à partir. L'adolescent se retrouve plutôt en marge. Son réseau social, le vrai, est restreint. Il passe la majeure partie de ses temps libres reclus dans sa chambre. Il socialise de moins en moins, que ce soit à la maison avec sa famille ou à l'extérieur. Ali préfère être devant son ordinateur à communiquer discrètement via Facebook ou Skype avec des interlocuteurs à qui il pose des questions concernant les formalités de voyage…

ALLER SIMPLE VERS LA TERREUR
29 MAI 2014

On attribue à plusieurs personnages historiques, dont Lénine et Churchill, cette phrase célèbre : « Là où il y a de la volonté, il y a un chemin. » Peu importe qui en est l'auteur, cette maxime sied bien aux jeunes aspirants djihadistes dont la détermination est remarquable.

Le 29 mai 2014, au petit matin, Ali s'installe devant son ordinateur avec les numéros des deux cartes de crédit qu'il a subtilisées à son père en fouillant dans son portefeuille. De peur de se faire surprendre, il avait griffonné les chiffres à la hâte sur un petit bout de papier. Quatre mois plus tôt, il avait employé le même stratagème pour envoyer de l'argent à un organisme libanais venant en aide aux insurgés syriens. Un organisme à vocation humanitaire, affirmera-t-il plus tard aux policiers. L'opération avait échoué. Une dispute avait éclaté entre l'adolescent et son père après que ce dernier fut avisé par sa banque d'une transaction suspecte sur son compte en pleine nuit. Ali avait d'abord soutenu mordicus que ce n'était pas lui. Que c'était peut-être une erreur de la banque ou l'œuvre d'un fraudeur. Puis, le ton avait monté. Les éclats de voix du père et du fils traversaient la porte de la pièce où sa mère s'était réfugiée. Pétrifiée, les larmes aux yeux, elle entendait son fils crier qu'il voulait aider le peuple syrien, participer aux combats d'une façon ou d'une autre. Avant de jurer qu'il ne recommencerait plus. Par précaution, ses parents avaient quand même fait annuler leurs cartes de crédit.

Ali avait boudé pendant quelques jours. Il traînait en ville jusque tard dans la soirée. Il attendait que son père ait quitté le domicile familial et se rende à son travail de nuit pour revenir chez lui.

Cette fois-ci, il se connecte au site de la compagnie Turkish Airlines. Il est bien décidé à faire le plus vite possible sa *hijra*, autrement dit émigrer vers une terre d'islam, en l'occurrence la Syrie. Avec passage obligé par la Turquie.

L'opération ne prend que quelques minutes. Le temps de choisir l'itinéraire et de régler la coquette somme de 2 239,27 $ pour ce billet acheté à la dernière minute. Pour le moment, tout se déroule comme prévu. L'adolescent peut espérer être proche de la frontière turco-syrienne moins de 24 heures après son départ imminent de la métropole québécoise. Son périple comprend une escale à Toronto puis un vol direct de nuit vers l'aéroport Ataturk d'Istanbul où il atterrira le lendemain après-midi, heure locale. Et, enfin, un dernier vol intérieur vers Gaziantep. Cette cité du sud de la Turquie, peuplée d'un million et demi d'habitants, est située à une heure de route de la frontière syrienne et à environ 75 kilomètres d'Alep. Gaziantep est une ville particulière. Elle a longtemps servi d'aimant à la plupart des étrangers, y compris canadiens, désireux de s'engager dans la lutte contre le régime de Bachar Al-Assad, quel que soit le groupe rebelle choisi. Une véritable industrie du passeur s'est développée dans la région. Dans leurs directives adressées aux aspirants djihadistes étrangers, les recruteurs leur mentionnaient souvent de se rendre par leurs propres moyens à Gaziantep où ils seraient alors pris en charge par les passeurs de l'organisation. Il leur était aussi conseillé d'éviter d'acheter un aller simple ou un aller-retour pour la Turquie, ce qui attirerait les soupçons des autorités, l'idéal étant qu'Istanbul soit plutôt une escale vers une destination finale touristique non suspecte.

Ce système d'acheminement des recrues était parfaitement rodé. Dans le cas d'Ali, l'enquête n'a pas démontré s'il avait été dirigé par un recruteur ou un contact sur place, ou s'il improvisait.

Je suis allé deux fois, en 2015 et 2016, en reportage à Gaziantep et dans toute la région bordant la frontière entre la Turquie et la Syrie pour tenter de comprendre comment ce système fonctionnait. Gaziantep a longtemps charmé les touristes avec son imposante citadelle médiévale qui domine la ville, son souk, ses échoppes où des artisans martèlent et façonnent le cuivre, sans oublier son extraordinaire musée Zeugma de la céramique. Les gourmands trouvent leur compte dans cette cité où il est impossible de marcher 15 minutes sans voir une boutique de baklavas, spécialité pâtissière locale à base de pistaches et de miel dont cette cité s'enorgueillit. Le soir, on peut humer dans les rues l'odeur des kebabs grillant sur les braises. Dans la vieille ville, il y a un va-et-vient incessant devant les portes du restaurant Imam Çağdaş dont la façade en bois sculpté vaut à elle seule le déplacement. Cet établissement ouvert depuis 1887 est une institution. On y déguste des mets traditionnels turcs sur de grandes tables collectives dans un brouhaha incroyable. Les pâtissiers portant à bout de main de grands plateaux circulaires remplis de baklavas frôlent dans un ballet improbable les serveurs pressés d'apporter à leurs clients des assiettes de kebabs, riz et légumes cuits sur le gril.

Mais la révolte syrienne n'a pas tardé à imprégner Gaziantep. La ville touristique est devenue un abri pour des réfugiés de la guerre et un sanctuaire pour des groupes d'activistes syriens d'obédience politique et religieuse, pour des journalistes et des ONG, mais aussi pour des cellules liées au groupe État Islamique. L'exécution, parfois en pleine rue, au cours des années 2015 et 2016 d'activistes et de journalistes syriens à Gaziantep et à Urfa plus à l'est – assassinats ciblés attribués au groupe EI – ont fait fuir les touristes et forcé toutes ces organisations, réputées ou déclarées hostiles à l'organisation du calife Abu Bakr al-Baghdadi, à se terrer dans une quasi-clandestinité. Lors de mon dernier séjour, au printemps 2016, j'avais ressenti cette crainte qui hantait désormais les habitants de cette ville. Plusieurs interlocuteurs mentionnaient leur peur que le groupe État Islamique passe à l'échelon supérieur et fasse couler le sang à grande échelle dans ses rues. L'avenir leur donna raison. Il y eut d'abord un attentat à la voiture piégée devant le quartier général de la police en mai de la même année, puis un jeune kamikaze qui se fit exploser au milieu des convives d'un mariage kurde au cours de l'été. Un vrai carnage. À cette époque, l'EI ne revendiquait pas ses attentats en Turquie pour des raisons stratégiques, mais l'implication du groupe djihadiste ne faisait aucun doute.

Ali n'arrivera jamais à Gaziantep. La banque suspectant à nouveau une fraude contacte son père pour lui demander s'il a vraiment acheté un billet pour la Turquie.

– Pourquoi tu fais ça, dis ? C'est pas un combat, c'est du terrorisme, Ali. Tu seras un criminel qui tuera des innocents, s'emporte le quinquagénaire à peine a-t-il raccroché le téléphone.

Ali ne dit rien. On perçoit sa respiration qui s'accélère. Son cerveau est une marmite en ébullition. Son père ne comprend décidément rien. Comment peut-il être si insensible au sort de ces Syriens qui affrontent depuis mars 2011 avec des moyens dérisoires les armées du président Assad et de ses alliés étrangers ? N'a-t-il pas vu ces images terribles d'immeubles ravagés à Idlib ou à Alep par une pluie de bombes parfois larguées par des hélicoptères, la panique dans les rues, les sauveteurs bénévoles avec leurs casques blancs qui extirpent des gravats de jeunes enfants au visage de cire et les yeux hagards, fauchés par cette mort tombée lourdement du ciel ? N'a-t-il pas entendu les cris de douleur de ces mères se prenant la tête entre les mains et implorant la miséricorde de Dieu ?

– Tu n'iras pas au paradis en mourant là-bas, tu comprends ? Tu comprends ? poursuit le père affligé.

Non, Ali ne comprend pas. Il n'entend pas.

Il est ailleurs.

Il est en Syrie.

L'adolescent rêve de suivre les pas des quelques Québécois précurseurs, tous dans la vingtaine, qui se sont joints dès les premiers soubresauts de la guerre civile, aux alentours de 2012-2013, aux groupes de rebelles dans le nord-ouest du pays. Parmi les groupes qui les attirent le plus à ce moment-là figure Jabhat al-Nosra[2], devenu en 2013 la branche syrienne d'Al-Qaïda. Ou alors l'Armée syrienne libre (ASL) et Ahrar al-Sham, soutenus plus ou moins militairement par l'Occident, certaines pétromonarchies et la Turquie, donc considérés comme non terroristes.

« C'était une expérience de vie enrichissante, c'était presque un camp de vacances », relata, l'air goguenard, l'un de ces Montréalais, Ismaël Habib, lors de son procès en 2017. Né au Québec de père afghan et de mère

---

2. Le groupe change de nom pour Jabhat Fatah al-Sham au cours de l'été 2016.

canadienne, Habib a raconté s'être converti à la religion musulmane à la fin de l'adolescence après une surdose d'amphétamines qui l'avait laissé sur le carreau. Embrasser la religion était apparu en fait sa porte de sortie, l'élan qui lui manquait pour se reprendre en main comme d'autres vont en cure de désintox. «À cette époque, raconta Habib, on pouvait passer d'un groupe rebelle à l'autre sans problème. Moi, je n'ai pas combattu. J'ai acheté un AK-47 parce que tout le monde était armé là-bas. J'ai bu du thé avec les Syriens, j'ai fumé la chicha. Le seul coup de feu que j'ai entendu, c'est lorsque le chef s'est tiré dans le pied...», affirma-t-il au tribunal, les pieds enchaînés, en guise de résumé de ses trois mois passés avec son beau-frère au sein de l'ASL, d'Ahrar al-Sham et enfin parmi un groupe de Tchétchènes...

Mais Ali avait-il conscience au moment où il réservait son billet d'avion des obstacles à franchir pour parvenir à faire partie de cette clique? Pour le passeport, l'adolescent, malin, avait prévu le coup: il avait caché celui de son pays de naissance derrière la trappe rouillée d'un vieux conduit de cheminée au sous-sol. Première vraie embûche: il devait obtenir un visa pour entrer en Turquie. Ensuite, une fois arrivé à l'aéroport, le jeune garçon aurait dû réussir à mystifier, du haut de ses 15 ans, l'employé du comptoir d'enregistrement. Mais, surtout, tromper les systèmes de vigie implantés pour détecter ce que les autorités canadiennes qualifient de «voyageurs extrémistes».

Et ce n'est pas tout. Son périple aurait pu être entravé à sa descente d'avion, à Istanbul. C'est à cette étape que la route du djihad peut se corser. Les voyageurs qui débarquent doivent passer un à un devant des agents plutôt inquisiteurs. Ceux-ci disposent d'une base de données de centaines de noms d'individus de près de 80 nationalités différentes soupçonnés d'activités terroristes. Certes, ce filet a eu des mailles trop béantes. Il n'a pas empêché des milliers d'aspirants djihadistes, voyageant parfois en famille, de s'y faufiler. Notamment en 2014 parce qu'il y avait moins d'empressement chez les Turcs à verrouiller leurs frontières et à participer à cette traque mondiale aux djihadistes. Mais un mineur comme Ali voyageant seul à des milliers de kilomètres de chez lui aurait forcément éveillé les soupçons.

Un an plus tard, en 2015, j'avais été déconcerté par la facilité avec laquelle quiconque pouvait encore se rendre en Syrie depuis tout le secteur frontalier s'étalant de Kilis, au sud de Gaziantep, jusqu'à Akçakale, plus à l'est. Les mouvements d'aspirants combattants de l'État Islamique s'organisaient dans des villages coupés en deux, à la suite des accords de Sykes-Picot qui ont redéfini arbitrairement les frontières de la région en 1916, et dans ces champs de pistachiers et d'oliviers, ces trésors régionaux ondulant à perte de vue sur des petites collines. Les convois de militaires et de gendarmes qui patrouillaient sur la petite route qui serpente le long de la « frontière », les postes de guet positionnés à intervalles réguliers et les champs de mines datant des années 1950 étaient peu dissuasifs devant ce flot d'individus déterminés à faire leur *hijra* vers la terre de djihad. Et, surtout, pris en charge par des réseaux de passeurs aguerris connaissant le terrain comme le fond de leur poche. Je ne parle même pas des dérisoires clôtures de trois ou quatre rangées de barbelés rouillés qui faisaient office de séparation symbolique entre la Turquie et le vaste territoire syrien contrôlé à ce moment-là par le groupe État Islamique sur des centaines de kilomètres.

Au cours de l'été 2016, la Turquie a donné un sérieux tour de vis pour faire taire les critiques sur sa molle contribution à la lutte internationale contre les djihadistes et pour faire oublier sa frontière passoire. Certainement parce qu'elle était entraînée à son tour dans un cycle d'attentats meurtriers attribués au groupe djihadiste (en plus de ceux revendiqués par les extrémistes kurdes du PKK – Parti des travailleurs du Kurdistan), en particulier à l'aéroport d'Istanbul et à Gaziantep. Et il y avait toutes ces roquettes tirées du territoire contrôlé par l'État Islamique sur Kilis, une petite ville frontalière turque dont la population avait doublé en raison de l'afflux de réfugiés syriens. La guerre qui faisait rage à moins de dix kilomètres venait les rattraper. L'État Islamique commençait à tirer régulièrement des roquettes sur la ville. Des tirs au hasard. Pour tuer. Pour terroriser. Il fallait que ça cesse. L'artillerie turque se mit à pilonner la zone contrôlée par les djihadistes. Elle lança l'opération *Bouclier de l'Euphrate* pour repousser, avec l'aide de groupes rebelles syriens « modérés », les troupes de l'État Islamique loin de sa frontière. Une manœuvre qui, par la même occasion, empêcha les Kurdes syriens honnis par Ankara de s'emparer du secteur. Et ce n'était pas tout. Ankara devait rendre la frontière étanche, rendre quasi impossible l'accès au territoire de l'État Islamique. Un mur en béton de trois mètres de haut et deux mètres de large, surmonté par des barbelés, poussa dans la campagne turque. Exit les petits barbelés. Un mur qui compliqua dès lors pour nombre de jeunes Occidentaux non seulement l'accès au territoire du califat, mais, à l'opposé, toute tentative de fuite et de désertion des rangs du groupe djihadiste.

L'EFFET DOMINO
ÉTÉ 2014

L'épisode du billet d'avion pour Gaziantep a bouleversé les parents d'Ali. Qui a bien pu «radicaliser» leur fils? Correspondait-il avec un des recruteurs officiels ou officieux de groupes djihadistes qui rôdent sur les réseaux sociaux et l'auraient piégé? L'alibi du pot de miel tendu par un recruteur fantôme sur les réseaux sociaux est toujours pris avec des pincettes par les policiers. A-t-il été influencé par un ami déjà sur place ou est-ce une décision personnelle? Ils n'en savent rien. Ali est toujours aussi renfermé. Presque muet. Sauf avec ses jeunes frères. Sa mère répète à qui veut bien l'entendre que son fils est devenu une vraie «boîte noire». «Y'a des jeunes qui à son âge sont attirés par la vie en marge de la société ou par la drogue, eh bien notre fils, il a été influencé par ces idées extrémistes», soupire son père. Lui non plus n'a pas de vraie réponse à apporter.

Mais l'un et l'autre sont bien décidés à empêcher leur garçon de récidiver. Et la meilleure façon de procéder, selon eux, est de lui bloquer son accès à Internet. Ils confisquent et cachent son ordinateur portable ainsi que sa carte de bibliothèque pour l'empêcher d'utiliser les ordinateurs publics. Ali est aussi privé d'argent de poche pour ne pas qu'il soit tenté d'aller dans un cyber-café. Les choses semblent se tasser. C'est la fin de l'année scolaire. Le jeune continue de passer le plus clair de son temps dans sa chambre. Puis, c'est l'accalmie durant les quelques jours de vacances estivales que la famille passe en Ontario. Ali semble reparti sur de bonnes bases. Du moins en apparence.

Lorsqu'il pouvait écumer les réseaux sociaux, en particulier des comptes Facebook fréquentés par des sympathisants djihadistes, Ali avait attiré l'attention d'un converti québécois d'une trentaine d'années d'origine sud-américaine. «Il était violent en *tabarnac*», se souvient Diego. Ce dernier est un pratiquant très pieux, fonda-mentaliste, qui navigue sur ces pages pour «catapulter au hasard», dit-il, *troller* ceux qui, comme Ali, affichent des sympathies ou font de la propagande pro-djihadiste. Or, Diego connaît lui-même un Montréalais présent en Syrie depuis plus d'un an et dont le chemin va rapide-ment croiser celui d'Ali. Il s'agit de Sami, qui n'est pas non plus un inconnu pour Ali. Il fait partie de ces com-battants de la première vague aux motivations plus poli-tiques et révolutionnaires que religieuses. Pour plusieurs jeunes aspirants djihadistes québécois, Sami est devenu une icône à la Che Guevara dont ils cherchent l'atten-tion et les conseils. Ils suivent avec avidité le récit de ses exploits et ses prises de position sur les réseaux sociaux. Le Québécois aux cheveux noirs bouclés aime faire des coups d'éclat pour parfaire sa légende de guerrier rebelle. Comme le jour où il s'est filmé en train de brûler son passeport canadien et de tirer dessus au AK-47. La vidéo est encore sur YouTube.

Après plusieurs échanges virtuels musclés, Diego propose à Ali de le rencontrer pour discuter de l'islam, de la situation en Syrie, des groupes Al-Qaïda et État Islamique. Contre toute attente, Ali accepte. Les deux se retrouvent dans un restaurant. Diego affirmera plus tard avoir eu espoir de raisonner cet adolescent à la dérive. Entre deux bouchées, il argumente, lui mentionne des *fatwas* de *sheikhs* éminents qui «interdisent de se rendre en Syrie», lui explique qu'Al-Qaïda ou État Islamique, c'est du pareil au même lorsque le cœur de l'adolescent balance entre ces deux groupes. Mais Diego déchante vite. Il doit se rendre à l'évidence : convaincre son jeune interlocuteur est une mission impossible. «C'est al-Baghdadi qui l'a entraîné dans cette voie», en conclut Diego.

Cet été-là, en effet, à des milliers de kilomètres, se déroulent deux événements dont la communauté internationale, déjà nonchalante devant la montée en puissance du groupe djihadiste irakien et ses avancées territoriales qui semblent sans limites, est encore loin de mesurer l'impact. Tout d'abord, le 29 juin 2014, un message audio relayé sur des plateformes médiatiques de propagande utilisées par les djihadistes annonce le rétablissement du mythique califat sur les terres déjà conquises en Syrie et en Irak par le groupe EIIL (État Islamique en Irak et au Levant) qui se rebaptise désormais simplement État

Islamique (EI). Puis, par la même occasion, Abu Bakr al-Baghdadi (de son vrai nom Ibrahim Awad Al-Badri), le chef de cette organisation et vétéran du djihad irakien des années 2000 contre les Américains, est proclamé calife Ibrahim.

Il faudra attendre six jours avant de voir ce nouveau calife en chair et en os monter d'un pas lent et solennel, marche après marche, tout de noir vêtu, sur la chaire de la grande mosquée Al-Nuri (détruite au cours de l'été 2017) de Mossoul, ville à majorité sunnite tout juste conquise par son organisation. Et là, devant des dizaines et des dizaines de fidèles de tous âges, il livre un prêche d'une vingtaine de minutes dans lequel il invite tous les musulmans du monde à lui prêter allégeance.

Après avoir pris Mossoul, les troupes d'al-Baghdadi reprennent leur chevauchée triomphale à travers la plaine aride de Ninive en direction du nord-est irakien et de la région autonome du Kurdistan, où l'inquiétude grandit. Sur leur chemin, les villes et villages tombent les uns après les autres. Rien ne peut stopper le rouleau compresseur djihadiste. Surtout pas l'armée irakienne et les peshmergas kurdes alors peu équipés et peu entraînés. L'euphorie dépasse les frontières du nouveau califat et gagne rapidement ses partisans en Occident. Le Canada n'y échappe pas. Plusieurs jeunes aspirants djihadistes rêvent déjà à leur départ prochain et à leur nouvelle vie. Ce n'est pas un mirage mais une terre qui leur tend les bras et leur offre la possibilité de participer au projet d'État Islamique que d'aucuns considèrent comme

utopique. Une terre où la vie n'est pas facile en raison des combats et des bombardements mais où, leur promet-on, ils ne vivront plus d'humiliations et ne ressentiront plus de frustrations.

Une jeune Québécoise écrit ceci à son amoureux, les deux planifiant de se marier avant de faire le grand voyage :

> *On mangera plein de Nutella aux fraises*
> *De toute notre vie ce sera la meilleure*
> *On est vraiment le couple le plus mignon*
> *Je t'aime mon amour de ma vie*
> *J'ai hâte d'y être*

Amis et proches remarquent un changement draconien tant dans le comportement que dans les propos de plusieurs de ces jeunes. Ils sont de moins en moins assidus à l'école mais, surtout, on ressent chez eux une réelle colère devant la situation en Syrie. Et ils montrent de l'irritation lorsque leurs amis ou leurs frères, sœurs et même parents ne démontrent pas la même sensibilité au drame qui se joue ou le même intérêt, par exemple, pour le phénomène du djihadisme ou la création de l'État Islamique. Ou lorsqu'ils refusent de regarder les vidéos qu'ils leur envoient, en particulier celles de la série « 19HH », production culte chez de nombreux jeunes djihadistes que l'on doit au Franco-Sénégalais Omar Omsen. Ou lorsqu'ils refusent d'écouter les *nasheed*, poèmes djihadistes chantés sans instrument de musique qu'ils téléchargent, fredonnent et se partagent. Alors, ils font le tri dans leurs relations. Et ils vont même jusqu'à couper les ponts avec des proches et rejeter leur entourage familial. «Elle m'a dit que c'était de notre devoir de savoir. Que ses sources sur la situation en Syrie étaient fiables. Elle ne comprenait pas pourquoi je ne voulais pas me mêler de ce qui se passe là-bas. Plus tard, elle m'a envoyé un texto qui disait: "C'est terminé. Ne me parle plus"», a témoigné avec émotion au tribunal l'amie d'une jeune Québécoise accusée de terrorisme.

Même si le facteur médias sociaux est omniprésent à un certain moment dans leurs trajectoires, constatent les enquêteurs antiterroristes, ces anecdotes illustrent le fait que chez ces jeunes, l'émulation s'est produite à l'intérieur de leur réseau social. Le vrai réseau social, celui des amis d'enfance, des copains d'école, du quartier, des lieux de rencontres, pas celui de l'espace numérique. Un écosystème soudé aux liens de confiance mutuels solides. Internet n'est pas le seul vilain responsable abstrait de la «radicalisation», contrairement aux théories rances que plusieurs experts, chercheurs ou journalistes ressassent depuis des années.

C'est aussi entre copains que plusieurs jeunes Canadiens et Canadiennes partiront ou tenteront de partir en Syrie. Par un effet domino, les premiers et premières arrivés en Syrie serviront ensuite d'inspirateurs et de conseillers logistiques pour ceux et celles encore au Canada. «T'as pas besoin de gens que tu connais, juste un numéro de téléphone aux frontières pour qu'ils viennent te chercher une fois en Turquie [faut me contacter et je te donnerai le numéro ou celui d'un autre frère], et même là tu peux passer les frontières seul sans numéro de téléphone », écrit à cette époque de la Syrie un jeune djihadiste montréalais sur une page Facebook qui regorge de conseils pratiques de ce genre.

Partir là où on va l'accepter. C'est le rêve qu'Ali chérit toujours. Plus que jamais. Alors, il dissimule ses intentions. Il joue le jeu du fils repentant qui veut rentrer dans le droit chemin lorsque son père lui lance un ultimatum à leur retour de vacances, fin août :

– Tu sais, Ali, moi je paie pour tes études. C'est très cher ce collège. C'est un grand sacrifice pour nous. Alors, si tu me promets que tu vas te ressaisir, que tu vas continuer à avoir de bons résultats, je vais te laisser à ton école. Tu auras toujours ton ordinateur mais avec le contrôle parental. Mais si tu veux pas, alors je vais te changer d'école et y'en aura plus du tout d'ordinateur. Tu as compris ?

Ali hoche la tête :

– Oui p'pa.

Il promet que c'est fini, qu'il n'ira plus se balader sur les sites djihadistes, qu'il va travailler à nouveau sérieusement.

Mais, c'est déjà la rentrée. Son père n'a pas le choix de lui rendre l'ordinateur qui sert à ses travaux scolaires. Ce féru d'informatique a pris soin, comme il l'avait averti au préalable, d'installer à nouveau des contrôles parentaux pour l'empêcher de se nourrir de contenu djihadiste, d'accéder à Facebook ou de se créer des comptes de messagerie électronique. Mais la ruse d'Ali est à la hauteur de sa détermination. Il a trouvé comment faire sauter ces verrous. Il provoque un *crash* du système d'exploitation Windows, puis apporte son ordinateur au service informatique de son école pour qu'un technicien réinstalle le système. Son plan est un succès. Ali peut désormais naviguer à sa guise sur Internet à l'insu de ses parents. La menace d'une potentielle surveillance de ses activités en ligne par le SCRS ne semble pas l'effrayer. Au contraire, il redevient un internaute hyperactif. Il dévore à nouveau les vidéos de recrutement de l'État Islamique. Il télécharge et cache soigneusement dans la mémoire de son ordinateur les 12 éditions du magazine électronique *INSPIRE*, grands classiques de la littérature djihadiste rédigés et diffusés par Al-Qaïda en péninsule arabique. Il adopte le nom de guerre Abou Doujana pour alimenter un compte Twitter qu'il a enregistré sous le nom d'*@AbuKanadi*. C'est son plan B pour communiquer avec quelques contacts dans la mouvance radicale parce que ses parents lui ont bloqué l'accès à Facebook.

En perquisitionnant son compte Twitter à la demande de la GRC, le FBI exhumera deux mois plus tard plusieurs *tweets*, photos et articles qu'*@AbuKanadi* a partagés avec ses abonnés. De brefs messages pro-EI et des photos qui illustrent la « terreur » des bouddhistes contre la minorité Rohingya au Myanmar, des enfants soldats de l'État Islamique à l'entraînement en tenue militaire et l'explosion sur la ligne d'arrivée du marathon de Boston avec blessés et morts qui baignent dans leur sang. Des thèmes que l'on retrouve souvent dans les ordinateurs de jeunes individus accusés de terrorisme.

À l'école, personne ne remarque de changement après la rentrée. «Comportement excellent», notent ses professeurs. L'adolescent ne manque aucune journée d'école et semble se concentrer avec sérieux sur ses études. Jusqu'à ce que les devoirs non remis s'accumulent. Trois en peu de temps. Le père d'Ali réalise alors que son fils a repris le contrôle total de son ordinateur portable. C'est un homme en plein désarroi qui s'en va frapper à la porte du directeur de l'école. Il lui explique la situation et le supplie de demander à son technicien en informatique d'intervenir afin qu'il puisse reprendre le contrôle de l'ordinateur de son fils et bloquer tout accès aux réseaux sociaux. Le directeur accepte.

L'AFFRONTEMENT AVEC SAMI
21 SEPTEMBRE 2014

· ALI

> T tjrs avec Jabhat Al Khousra? [3]

Il est presque minuit à Montréal. De sa chambre, Ali entame une série d'échanges privés sur Twitter avec le fameux Sami. Le Québécois combat à ce moment dans le nord-ouest de la Syrie au sein du groupe djihadiste Jabhat al-Nosra. En employant le mot *khousra*, dérivé du mot *khousara* qui signifie «défaite», au lieu de *Nosra*, l'adolescent cherche à provoquer Sami. Malgré son jeune âge, Ali est bien au fait de l'affrontement tant idéologique que militaire qui oppose le groupe État Islamique dont il se sent proche, à Jabhat al-Nosra, le groupe dont se réclame alors Sami.

L'adolescent trouve son jeu de mots bien marrant. Sans surprise, la conversation s'envenime… Sami est piqué au vif. Il réplique. Ali ne lâche pas. Il en rajoute même :

---

3. Les échanges de textos reproduits dans cet ouvrage ont été transcrits avec un minimum de corrections.

ALI

> Toujours le même. Qu'Allah te guide ou t'anéantisse.

SAMI

> Commencez à faire votre *hijra* et on verra par la suite. Et change ton nom, il y a déjà un *abu dujana al kanadi* avec moi ici et tu le connais surement. Fait de la place pour les vrais.

ALI

> Les vrais *murtadins* [musulmans accusés d'apostasie par les djihadistes] oui LOL. Je ne connais pas ton *Abu Dujana*.

Sami sait être volubile lorsqu'il troque son arme pour le clavier de son téléphone intelligent. C'est un fougueux débatteur, un brin arrogant et provocateur, qui n'a pas peur de cacher son aversion pour l'État Islamique.

La conversation entre l'adolescent effronté et ce djihadiste de dix ans son aîné se poursuit les jours suivants sur le même ton acrimonieux. Sami pourfend le « pseudocalifat » d'Ali et ses semblables « tout juste bons à parler », qui disent « un jour oui, et un jour non », et ont la trouille de venir se battre pour la cause en Syrie. Ali lui réplique que la plupart des membres de la mouvance de Sami sont considérés comme apostats par le groupe État Islamique parce qu'ils combattent avec les « démocrates », sous-entendu les Occidentaux.

« AU BOULOT »
27-28 SEPTEMBRE 2014

Le 27 septembre, vers 21 h 40, Sami envoie ce message sarcastique à Ali :

SAMI

> Ton Adnani t'a ordonné de tuer tous les mécréants autour de toi. Si ta pas d'arme, il te dit de prendre une roche. Alors au boulot !

Le Syrien Abou Mohammed al-Adnani était, jusqu'à son assassinat au cours de l'été 2016 par un tir de drone, la voix publique de l'État Islamique. Une voix qui a appelé à plusieurs reprises, notamment le 22 septembre 2014, les partisans du groupe djihadiste peu importe où ils se trouvaient dans le monde à s'en prendre aux mécréants « civils ou militaires ». En particulier ceux des pays membres de la Coalition anti-État Islamique, dont le Canada. Les paroles brutales d'Adnani qui harangue les aspirants terroristes donnent froid dans le dos : « Si vous pouvez tuer un incroyant américain ou européen – en particulier les méchants et sales Français – ou un Australien ou un Canadien… Frappez sa tête avec une pierre, égorgez-le avec un couteau, écrasez-le avec votre voiture, jetez-le d'un lieu en hauteur, étranglez-le ou empoisonnez-le. »

Cette sous-traitance à échelle industrielle de la terreur *low cost* est considérée comme l'un des traits de génie des idéologues et stratèges de ce groupe armé. Pourtant, plusieurs oublient qu'elle ne faisait que plagier en le bonifiant et en le martelant sans cesse un concept du djihad décentralisé théorisé dès les années 1990 par le Syrien Abou Musaab al-Suri puis, des années plus tard, par Al-Qaïda en péninsule arabique (AQPA). Désormais d'un bout à l'autre du globe, plusieurs individus vont répondre à ces appels au meurtre lancés par al-Adnani, ou d'autres djihadistes, remportant ainsi le titre de « soldat du califat » dans les communiqués laconiques de revendication de l'organisation.

Entre 3 heures et 4 heures du matin dans la nuit du samedi 27 au dimanche 28 septembre, Ali, toujours aussi crâneur, envoie une série de messages à Sami, histoire d'alimenter le foyer de leur petite guéguerre idéologique.

ALI

T'as pas répondu...

Dis moi qui a exécuté l'opération bénite du 11 septembre ?...

Si le cheikh al Adnani te choque alors le 11 septembre aussi non ?

Bandes de lâches...

C'est déjà la mi-matinée en Syrie. Sami ne répond pas à ces invectives.

Un doux soleil d'automne caresse déjà les murs de la métropole lorsque Ali ouvre un œil. Il regarde sa montre qui marque 8 heures. Sa nuit a été courte. À l'extérieur, la météo dominicale s'annonce divine, bien que chaude, pour le rendez-vous annuel de milliers d'amateurs de course à pied. Les plus courageux s'échauffent sur le pont Jacques-Cartier avant de se préparer à fouler les 42,19 kilomètres de ce marathon disputé sur un bitume montréalais usé par le temps et la négligence. Un bitume rapiécé, craquelé, bosselé, ridé comme une peau de vieux. L'adolescent émerge de son lit, s'habille en coup de vent, monte dans la cuisine pour avaler des toasts et un verre de jus de fruits, puis retourne se terrer dans sa chambre sans souffler mot ni à sa mère ni à son père, comme à son habitude.

Plus tard dans la journée, les parents réalisent que leur fils n'est plus là.

– Quelqu'un sait où est parti Ali? demande sa mère.

Non, personne dans la maison ne sait où il est parti. Il n'a rien dit à ses frères et sœur. L'inquiétude monte d'un cran. Les parents savent que c'est la journée du marathon au centre-ville. Et ils ont encore en mémoire le récent appel au meurtre d'al-Adnani relayé dans les médias. « Ali, jure-moi que tu n'es pas parti faire une grosse bêtise... Dis-moi que ce n'est pas ça », implore intérieurement sa mère.

Cette crise d'angoisse subite n'a rien d'irrationnel. Elle est liée à un événement récent : la découverte fortuite dans une poche du pantalon d'Ali d'un numéro de téléphone écrit sur un petit bout de papier. C'était il y a quelques jours. Elle avait profité du fait que son fils prenait sa douche pour fouiller dans les poches de ses vêtements. Juste pour vérifier. Sa main inquisitrice avait trouvé ce morceau de papier plié en accordéon qu'elle avait déroulé avec minutie. Pourquoi Ali avait-il noté ce numéro, lui qui n'a pas de téléphone portable et pas d'amis ? En attendant que son mari revienne du travail, la mère de l'adolescent avait caché sa trouvaille dans leur chambre.

– C'est quoi à ton avis, ce numéro ?

– J'en sais rien, répondit-il. On va regarder sur Internet… C'est peut-être celui d'un de ses professeurs… ou un ami que l'on ne connaît pas.

La recherche n'avait rien donné. C'était un numéro de portable, donc pas listé.

Leur seul recours était cet agent du SCRS qui leur avait donné sa carte professionnelle. Juste au cas où. « Au moindre doute, appelez-moi », leur avait-il lancé le printemps dernier avant de quitter leur appartement. Lui pourrait savoir qui se cache derrière cette série de dix chiffres. Ils savent forcément tout, ces agents de renseignement, pensa le père d'Ali en se dirigeant vers sa voiture, seul endroit où il pouvait téléphoner sans risquer d'être entendu. Son cœur cognait dans sa poitrine.

– C'est peut-être celui qui lui lave le cerveau. C'est peut-être la preuve qui vous manque pour l'arrêter.

Le pauvre homme ne savait pas, bien sûr, que les agents de renseignement canadiens n'ont pas de pouvoir d'arrestation.

– Merci monsieur, je vais voir ce que je peux faire. Je vous tiens au courant, promit néanmoins l'agent avant de raccrocher.

Quelques jours plus tard, l'agent du SCRS rappela le père de famille. Sa voix dissimulait mal son inquiétude et son embarras :

– Écoutez, ce numéro est troublant. Je ne peux pas vous en dire plus… Je suis désolé. Mais cette histoire de numéro reste entre vous et moi. Je peux compter sur vous ?

– Oui, oui… Bien sûr, bien sûr…, répondit le père d'une voix chevrotante.

Il cacha le papier dans le coffre à gants de son auto puis retourna chez lui, la mine basse.

Jamais Ali ne fit allusion à ce papier. Il ne le réclama pas. Peut-être pensa-t-il qu'il l'avait égaré ou qu'il avait été dissous lors du lavage de son pantalon dans la machine à laver.

C'est cet épisode du numéro de téléphone « troublant » qui revient hanter les parents d'Ali en ce dimanche de marathon.

– J'avais peur qu'il fasse quelque chose, surtout qu'il suit cet État Islamique, et tout… Et son porte-parole qui avait demandé de faire des choses contre les Occidentaux. J'avais peur qu'il fasse euh… une attaque… je sais pas quoi, relata plus tard avec candeur la mère de famille.

Au cours des jours suivants, l'adolescent s'absente de plus en plus de la maison en fin d'après-midi ou en soirée. Une heure, parfois deux.

– Je vais prendre l'air, lance-t-il sur un ton laconique à sa mère lorsqu'elle cherche à savoir où il va.

Ali attend le milieu de la nuit pour consulter ses messages en cachette. Sami n'a toujours pas donné signe de vie depuis son message du 27 septembre. Et ça l'énerve. Il tape frénétiquement sur les touches de son clavier :

ALI

> Alors t'as fermé ta gueule… t'es passé où ???

Il va apostropher Sami ainsi presque nuit après nuit.

CONVERTI ET MENTOR
29 SEPTEMBRE 2014

Le 29 septembre 2014 en fin de soirée, Ali se connecte à son compte Twitter. Il constate avec dépit que Sami est invisible depuis trois jours. Est-ce qu'il boude? Est-il mort au combat? «Pfff... qu'il aille en enfer», maugrée Ali. Qu'à cela ne tienne, il envoie alors un message à l'abonné *@AhmadRouleau* qu'il suit sur Twitter et Facebook depuis plusieurs mois.

ALI

> C'est moi abou dujana de Montreal. N'oublie pas *akhy* [mon frère] de me prévenir lorsque tu seras libre *in sha allah*.

Ce message reste sans réponse. Il n'a pas plus de succès avec *@AhmadRouleau* qu'avec Sami. Pour Sami, l'explication viendra plusieurs jours plus tard. «Les drones et les F-22 sont au-dessus de nous et c'est dangereux d'utiliser des téléphones», écrit le djihadiste à Ali en guise d'explication à son mutisme.

@AhmadRouleau est l'identifiant Twitter de *Abu Ibrahim al Canadi* alias Martin Couture-Rouleau, un converti

récent, et zélé, âgé de 25 ans qui réside chez son père à Saint-Jean-sur-Richelieu, en Montérégie au sud de Montréal. De façon peu subtile, il affiche la bannière noire de l'État Islamique en guise d'avatar Twitter. Il est aussi présent sur Facebook sous le pseudonyme d'*Ahmad LeConverti*. Martin est un gars plutôt pataud, qui arbore depuis quelques mois une longue barbe brune assez touffue pour se donner un *look* de fondamentaliste. Son adolescence a été marquée par la séparation de ses parents, ses échecs scolaires récurrents et une consommation effrénée de marijuana ainsi que quelques drogues dures. Il est bien connu de la police locale pour ses esclandres, en particulier dans une église lors d'une cérémonie de baptême qu'il était venu perturber en hurlant que le christianisme était un mensonge. De quoi le faire passer pour un hurluberlu dans sa ville.

Plus grave, cela fait désormais quelques mois qu'il est dans le collimateur du SCRS et de la GRC. La radicalisation fulgurante de celui qui écume les réseaux sociaux et sombre dans les théories du complot les plus farfelues inquiète de plus en plus ses proches et les autorités même s'il ne semble pas représenter une menace. Son passeport lui a été confisqué par les policiers au mois de juillet après une tentative de départ, vers la Turquie cette fois. Les policiers qui interpellent de justesse Rouleau à l'aéroport de Montréal ont l'intime conviction que la Syrie est sa destination finale. Ce qui lui vaut d'être inculpé d'avoir voulu quitter le Canada pour participer aux activités d'un groupe terroriste et une convocation en cour prévue pour le 22 octobre suivant. Coup de théâtre : cette accusation est retirée deux jours plus tard, faute de preuve béton. Mais son nom est quand même ajouté à titre préventif sur la liste noire de la centaine de Canadiens « voyageurs à risques » auxquels on a confisqué les passeports, autrement dit suspectés d'être des aspirants djihadistes.

Rouleau en était en fait à son deuxième essai. Au cours de l'été 2013, soit peu de temps après sa conversion, il avait fait la connaissance d'un jeune Pakistanais sur un forum Internet consacré à la Da'wah, l'« invitation à découvrir l'islam » destinée aux non-musulmans. Les deux hommes s'étaient vite liés d'amitié. Une amitié virtuelle. Un projet un peu fou germa dans la tête de Rouleau : partir au Pakistan au mois de février 2014 pour rencontrer ce nouvel ami et parfaire son éducation religieuse. L'ami en question me confia plus tard lors d'un long échange que Rouleau « était un grand fan des moudjahidines et que lui-même voulait devenir un moudjahidin ». Il aurait évoqué l'idée de se joindre à un redoutable groupe taliban pakistanais auteur de plusieurs attentats meurtriers. Cette fois-ci, ce n'est pas la police qui contraria ses plans, mais une tempête de neige qui entraîna l'annulation du premier vol d'un long périple devant le conduire à Karachi. Rouleau avait quand même eu le temps d'envoyer un *selfie* du hall des départs de l'aéroport à son ami pakistanais.

Rouleau, qui rêvait de devenir un moudjahidin héroïque, doit se contenter de ronger son frein dans son sous-sol au Québec. Alors, comme plusieurs autres, il passe son temps entre deux prières devant son ordinateur à se gaver jusqu'à 20 heures par jour de vidéos djihadistes dont le son résonne dans toute la maison. Parmi ses sources d'inspiration figure un prédicateur britannique condamné depuis pour soutien au terrorisme. Il fréquente aussi activement deux mosquées et se fait remarquer par son prosélytisme insistant auprès de ses amis qui, irrités, préfèrent couper les ponts avec leur copain.

Un mois plus tard, son père, désemparé, frappe encore, comme il l'avait fait en 2013, à la porte d'un centre d'intervention psychosociale où l'on conclut que le cas de ce jeune homme ne relève pas vraiment du domaine médical. On lui conseille plutôt de contacter le SCRS! Peu après, la division chargée de la sécurité nationale à la GRC est saisie du dossier et une enquête débute. En parallèle, le corps de police fédéral tente de sortir Rouleau de la voie de l'extrémisme violent.

Dans ce cas-ci, les trajectoires de ces deux aspirants djihadistes, Ali et Martin, venus de deux horizons socioculturels distincts, se sont d'abord croisées sur les réseaux sociaux. C'est Ali qui aurait fait le premier pas et contacté Rouleau parce qu'il habitait comme lui au Québec, qu'il partageait les mêmes opinions politiques et religieuses, se revendiquait du même «islam authentique» et soutenait le groupe État Islamique.

Le numéro de téléphone trouvé dans la poche du pantalon d'Ali considéré comme «troublant» par le SCRS était en fait celui de Rouleau…

C'est ainsi que Rouleau est sans aucun doute devenu progressivement le confident et d'une certaine façon le mentor du jeune Ali. Le converti de Saint-Jean réussit à se substituer au père d'Ali dans le rôle de référent spirituel et de figure d'autorité. Et autant Ali est arrogant et provocateur dans ses interactions avec Sami, autant il respecte Martin. Peut-être est-il profondément touché et impressionné qu'un converti puisse être plus engagé pour la cause que lui. C'est ce qui contribue à tisser ce lien de confiance.

Cette conversation datant du 6 octobre est assez révélatrice :

ALI

quand est ce que tu es libre ?

@AhmadRouleau

Je sais pas quand je vais descendre à MTL.
Il y a quelque chose que tu voulais savoir ?

ALI

oui *insha allah*

@AhmadRouleau

Ok tu peux me le dire ici

ALI

C'est pas quelque chose à parler sur internet

@AhmadRouleau

Ok demain ou vendredi ?

ALI

vendredi *inch allah* À quelle heure ? Je peux vers 18 h env

@AhmadRouleau

ce serait trop tard j'vais aller au *jumuah* [prière du vendredi] mais ça fait longtemps attendre à MTL jusqu'à 10. Ça presse ?

ALI

non. La fin de semaine t'es pas libre ?

@AhmadRouleau

oui. c'est juste faire la route jusqu'à MTL je préfère ça quand j'y vais. Mais si tu peux pas parler sur internet c'est surement à cause du djihad ou l'ordre d'Adnani [voir p. 66]. Peux te dire que c'est *halal*.

Cet échange se poursuit autour de considérations plus religieuses. Ironiquement, c'est Ali, le jeune issu d'une famille musulmane, qui demande à Rouleau le Québécois néo-converti de l'« éclairer »… Un cas de figure qui rappelle celui d'André Poulin. Ce converti de l'Ontario est mort au combat en Syrie en août 2013 lors de l'assaut, sous les ordres de Abu Omar « le Tchétchène », d'une base aérienne du régime située près de la ville de Raqqa. Lorsqu'il résidait encore au Canada, Poulin avait progressivement imposé son influence et sa vision de la religion à ses disciples virtuels et réels. Quatre jeunes fervents musulmans d'origine bangladaise qui gravitaient autour de lui avant son départ pour la Syrie l'avaient même affublé du titre de *sheikh*. Le décès de Poulin, qui avait adopté comme *kunya* [surnom ou nom de guerre chez les djihadistes] Abu Muslim al Canadi, a été glorifié dans *Flames of war*, une vidéo culte du groupe État Islamique. En juillet 2014, Poulin apparaît aussi dans une vidéo de recrutement [*Al-Ghuraba: The chosen few from different lands*] ciblant plus spécifiquement les jeunes Occidentaux appelés à abandonner leur petit confort au profit de la cause : « Avant de venir ici en Syrie, j'avais de l'argent. J'avais une bonne famille. J'avais de bons amis. Je gagnais plus de 2 000 $ par mois. Je regardais le hockey. L'été, j'allais au chalet… », martèle le converti assis sous un arbre, un fusil d'assaut AK-47 en bandoulière et un drapeau de l'État Islamique à portée de main. Il lance aussi un vibrant appel : « Nous avons besoin d'ingénieurs, nous avons besoin de médecins… Chaque personne peut apporter quelque chose à l'État Islamique. »

Voilà la force du groupe État Islamique. Ses stratèges responsables de la propagande et du recrutement ont compris que le messager a autant d'importance, sinon plus, que le message. Le gars que l'on voit dans la vidéo doit être l'image miroir de celui qui le regarde sur son ordinateur ou sur son téléphone intelligent loin des zones de combat. Et, au bout du compte, provoquer un déclic chez ce dernier qui peut alors en arriver à se dire : si lui l'a fait, pourquoi pas moi ?

Poulin n'était pas un inconnu pour Ali. Il conservait d'ailleurs dans son ordinateur sa photo avec la mention : « *May Allah accept him as a martyr.* »

On constate des similitudes intéressantes entre le cas de Martin Couture-Rouleau et celui d'Ali. Tout d'abord, leur détermination. Les deux continuaient de fomenter leurs projets respectifs malgré le fait qu'ils se savaient repérés par les services de sécurité. L'un et l'autre avaient été interrogés par la GRC ou le SCRS, ou les deux. Ensuite, autres points communs : ils s'abreuvaient de propagande djihadiste sur Internet, leur vrai réseau social d'amis s'était réduit au fur et à mesure qu'ils s'enfermaient idéologiquement et, enfin, leurs parents se démenaient avec l'énergie du désespoir pour tenter de les empêcher d'atteindre le point de non-retour.

« COMBUSTIBLES DE L'ENFER »
8 OCTOBRE 2014

16 h 06 : Ali contacte de nouveau Martin Couture-Rouleau. Pour une rare fois, leur conversation a lieu en journée. S'engage alors un échange surréaliste.

ALI

> *Akhi* j'ai un pb, j'ai un prof qui est soldat à temps partiel et je le déteste énormément sauf lorsqu'il me parle ou fait des blagues je souris et je ris. Je sais pas ce que j'ai. Que me conseille tu ? Je suis habituellement très souriant et rieur

@AhmadRouleau

> *wa aleikhoum salam wb mmmm* va pas lui parler ou s'il te parle dis lui que c'est un mécréant direct pis que les mécréants sont des combustibles de l'enfer donc essaie de l'éviter. C'est un prof de quoi ?

ALI

> maths... ok *insha allah* je suis presque sûr qu'il a des liens avec le SCRS. il me parle bizarrement et me regarde bizarrement

@AhmadRouleau

> dans les pauses fait *dhikr* [invocations] et lit du coran *insha allah* et passe au travers

ALI

la moitié de la classe était absente alors il nous a demandé de quoi on voulait discuter. Il nous a proposé 2 sujets et ensuite il a dit l'EI et il a tout de suite demande de quoi j'en pensais

@AhmadRouleau

> C'est quoi tu as dit?

ALI

j'ai fait un signe avec mes épaules pour dire je sais pas Personne à l'école, à part un *murtad* sait que je soutiens les *mujahidin*

@AhmadRouleau

> OK

ALI

Akhy desolé si je te pose beaucoup de questions mais est ce que quand les québécois mécréants disent *criss* c'est une parole de *Kufr*?

@AhmadRouleau

> criss est un vilain mot et vulgaire c'est pas une parole de *kufr* mais c'est plus une mauvaise parole

Le lendemain de cette discussion, des enquêteurs de la GRC qui suivent le dossier de Rouleau depuis des mois le rencontrent. Un imam les assiste. Toujours dans l'espoir de réussir à « l'encadrer à l'influencer positivement ». Comme à chaque rendez-vous, les policiers cherchent à jauger le niveau de dangerosité potentielle de Rouleau. Faut-il continuer à mobiliser des ressources ou non? Le jeune converti joue si bien son jeu que les policiers repartent rassurés. Leur sujet d'enquête démontre une volonté de s'amender et de repartir sur de bonnes bases. La GRC n'a manifestement pas obtenu l'accès à son compte Twitter au moyen d'un mandat judiciaire, sinon les policiers fédéraux auraient vu ses échanges inquiétants avec un mineur. Ils ignorent aussi que les liens unissant ces deux individus sont déjà connus du SCRS...

42 SECONDES
11 OCTOBRE 2014

Quarante-deux secondes!

Seules 42 secondes se sont écoulées entre le moment où Ali pénètre dans un petit dépanneur de l'ouest de Montréal et celui où il s'enfuit dans la rue, pourchassé par le propriétaire des lieux, une chaise pliante à la main. La scène est presque burlesque. Riposte dérisoire. Ali le sportif a déjà disparu à grandes enjambées dans la pénombre. Le commerçant se résigne à abdiquer. Il revient sur ses pas, entre dans son commerce et compose le 911.

L'examen des images de deux des caméras de surveillance installées dans le dépanneur va permettre aux enquêteurs de reconstituer avec précision la séquence du vol et, par la suite, de mettre un nom sur le visage à moitié masqué du suspect.

Ce samedi soir, l'horloge du système d'enregistrement indique 21 h 10 lorsque l'adolescent pénètre d'un pas assuré dans la petite boutique de monsieur Wang. Ce commerce est situé au rez-de-chaussée d'un duplex en brique à l'angle de deux rues résidentielles plutôt paisibles. Ali connaît bien le quartier pour y avoir résidé quelques années. Comme toutes les boutiques de ce genre, la vitrine est un vrai capharnaüm encombré d'affiches publicitaires de marques de bière et d'autocollants aux couleurs délavées par le soleil et le temps. Ali est vêtu de jeans courts, chaussures de sport aux pieds, capuche de son *sweatshirt* rabattue sur la tête, foulard remonté jusqu'au nez et porte un sac à dos noir sur les épaules.

La soirée était plutôt tranquille jusque-là. Un paquet de cigarettes par-ci, une cannette de bière par-là, un billet de Lotto 6/49, une bouteille d'atroce vin de dépanneur… La routine. Dans un monde idéal, monsieur Wang, qui est assis derrière le comptoir sur un meuble bas en mélamine blanche, aurait pu avoir une vue directe sur l'entrée si celle-ci n'était pas en partie obstruée par la caisse enregistreuse et l'écran de la machine à valider les billets de loterie de Loto-Québec. Il aurait vu le jeune entrer, le visage masqué. Et ne se serait pas fait surprendre comme un amateur. Mais voilà, ce n'est pas le cas. Le commerçant remplit méticuleusement des petits sacs de bonbons et regarde l'écran de son téléphone intelligent pour passer le temps. Absorbé par sa tâche et perdu dans ses pensées, il n'a pas le temps de réagir lorsqu'un individu surgit devant lui, un long couteau menaçant brandi en l'air dans sa main droite :

– *Give me the money! Give me the money!*

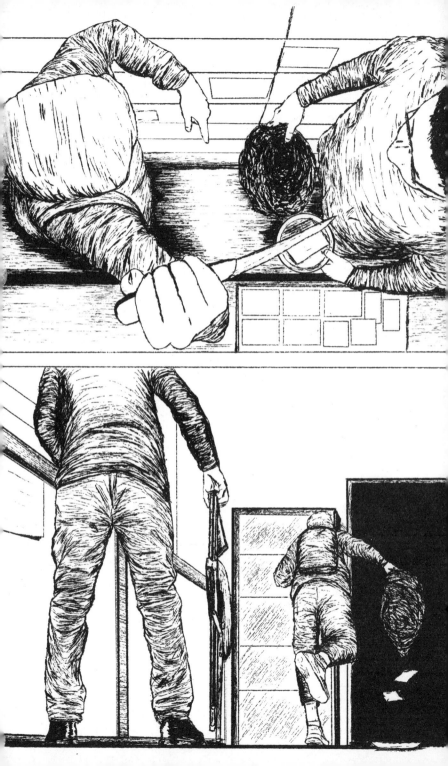

Monsieur Wang se lève d'un bond et recule sans paniquer vers la caisse. Ce quadragénaire trapu juge plus prudent de ne pas tourner le dos à cet assaillant armé qui lui tend un sac poubelle noir, froissé, sorti de sa poche. Le commerçant allonge calmement la main sous le comptoir. Il saisit un grand pot en plastique transparent un peu sale qui, dans une ancienne vie, devait contenir de la crème glacée, mais qui fait désormais office de cache pour les billets de banque. Il ouvre le sac en plastique sans trop se presser. Ali s'impatiente. Il a peur que quelqu'un entre dans le dépanneur. Il agite alors sa main armée du couteau pour faire comprendre à monsieur Wang d'aller plus vite. Le commerçant a à peine versé le contenu du pot qu'Ali lui arrache le sac des mains et détale avec son butin sans même penser à demander le contenu du tiroir-caisse. Quelques billets virevoltent avant de retomber au sol, piétinés par le commerçant qui part à la course derrière le voleur. Huit minutes plus tard, les billets traînent encore par terre lorsque les policiers débarquent.

– Il est parti dans quelle direction? Vers la gauche ou vers la droite? demande l'un d'eux au commerçant en mimant à plusieurs reprises le geste avec ses mains pour tenter de se faire comprendre.

Monsieur Wang « a eu très peur et croyait que l'homme allait le tuer », notera l'un des policiers présents dans son rapport d'événement. La victime décrit ainsi le suspect du vol :

```
Stature 1,75, poids 68 kg, mince, blanc,
cheveux noirs
Foulard noir sur le visage
Manteau bleu pâle avec manches noires capuchon
en coton gris
Short style bermuda bleu pâle
Chaussures type souliers basketball
Attitude : agressive violent
Armé d'un couteau avec lame dentelée de 20 cm.
Manche noir. Possiblement couteau à pain ou steak
```

Il est environ 22 heures. Les policiers poursuivent leur travail de collecte d'informations et d'indices dans le commerce. Le jeune Ali, lui, est de retour au domicile familial situé à environ cinq kilomètres de là. L'adrénaline est retombée. Son plan fonctionne bien jusqu'à présent. Il est resté en contrôle. Il n'a pas paniqué pendant son braquage. Son premier braquage. Le « butin de guerre » − évalué à ce moment par le commerçant à 2 000 $ alors qu'en réalité il est la moitié moins − qu'il vient de dérober à la pointe du couteau va lui permettre de financer son départ pour *Dawla* (l'État Islamique dans le jargon djihadiste). Quitter à jamais ce Canada peuplé de « mécréants » en laissant derrière lui frères, sœur, sa mère et son traître de père.

Mais les choses ne se déroulent pas comme prévu. Ali a sous-estimé la perspicacité et la vigilance de ses parents, attentifs depuis plusieurs semaines à ses moindres faits et gestes. Dès que l'adolescent avait quitté la maison en claquant la porte vers 17 heures cet après-midi-là, sans leur adresser un mot comme d'habitude, sa mère s'était précipitée dans sa chambre pour y jeter un coup d'œil. Appelons ça un pressentiment. Un détail l'avait intriguée : toutes les affaires d'école de son fils étaient au sol. Comme si elles y avaient été balancées à la hâte. Son ordinateur portable était sur le canapé. Ne manquait qu'une chose : son sac à dos. Elle trouva ça bizarre, mais ne s'inquiéta pas outre mesure. Pour la mère d'Ali, l'essentiel était qu'il ne soit pas parti avec son ordinateur portable, considéré comme la source de tous leurs maux. Mais lorsque, cinq heures plus tard, elle voit Ali rentrer à la maison sans son sac à dos, elle se dit que quelque chose ne tourne pas rond.

— Écoute, dit-elle à son mari, il est parti avec son sac et là il ne l'a pas. C'est bizarre non, tu ne trouves pas ? Il est parti où ?

Le père se précipite au sous-sol bien décidé à tirer cette affaire au clair. Ali lui claque la porte de sa chambre au nez. Un échange houleux s'engage à travers la porte.

— Tu as emmené ton sac à dos avec toi tout à l'heure, dis-moi il est où ?

— Il est derrière la porte, répond Ali sur un ton cassant.

— Tu mens, tu mens, il n'est pas là… Ouvre… Je suis sûr qu'il n'est pas là.

Ali, cloîtré dans sa chambre, se tait.

— Ouvre, Ali !

Le père remonte l'escalier en fulminant. Il ouvre la porte d'entrée, allume la lumière extérieure, jette un œil de chaque côté de la porte et se penche sous le balcon. Rien. Pas de sac. Il décide alors de vérifier à l'arrière de la maison, dans la petite cour. Les minutes passent. Puis, le père d'Ali surgit, atterré, dans le salon, le sac à dos au bout de son bras tendu à l'horizontale.

— Regarde ce qu'il y a dans son sac ! dit-il à son épouse.

La mère d'Ali écarte les deux bords du sac. Et là, au fond, elle aperçoit clairement un couteau, un cache-cou et des billets de banque. Beaucoup de billets de 5, 10 et 20 $.

— Il a volé… Notre fils est allé voler, s'exclame-t-elle au bord des larmes en exhibant une liasse dans sa main. Il a volé qui, quoi, comment ? Un dépanneur ? Des gens ciblés au hasard dans la rue ?

Les questions se bousculent dans sa tête. Le premier réflexe de cette maman désemparée est de sortir le couteau du sac et de demander à son mari de le cacher. Voici la suite des événements telle qu'elle la racontera plus tard aux enquêteurs :

On l'a mis dans la voiture parce que je sais qu'il va fouiller partout, mon fils. Je le connais. Alors, quand j'ai vu le couteau. Je ramène tous les couteaux qui sont dans la cuisine. J'ai pris tous les couteaux. Jusqu'à maintenant ils sont dans la voiture. J'avais peur qu'il fait quelque chose cette nuit-là. On a parlé avec lui :

— Ali, tu le ramènes d'où cet argent ? Dis-nous, est-ce que tu as volé quelqu'un ?

Il dit rien.

— Non… Nulle…

— Tu es parti où ?

— Nulle part.

— Jure, jure que tu as pas volé.

— Il a juré : J'ai pas volé.

Les heures s'écoulent. Ali est toujours reclus dans sa chambre au sous-sol. Il refuse obstinément d'ouvrir à ses parents, qu'il bombarde de ses mensonges et contradictions. Ce que l'adolescent ne sait pas, c'est que son père a déjà réveillé son contact au SCRS pour l'informer de ce qui vient de se passer. L'agent de renseignement rappelle le père d'Ali un peu plus tard et les deux conviennent d'un rendez-vous discret le lendemain, dimanche, en matinée. Ali ne sera probablement pas là, car il doit participer à une compétition sportive. À l'heure dite, l'agent gare son auto près du domicile des parents. Le père d'Ali monte dans le véhicule et lui raconte à nouveau toute l'histoire, la découverte du sac à dos, le couteau, l'argent, les dénégations d'Ali… L'agent de renseignement le convainc de rencontrer un «ami» de la police de Montréal avec qui il va le mettre en relation. Et c'est ainsi que le père d'Ali se retrouve en fin de journée dans un poste de police devant deux enquêteurs de la police de Montréal et de la GRC.

À 18 h 05, le gendarme de la GRC déclenche le système qui va enregistrer les déclarations du père d'Ali :

– … Je me présente. Je vais faire une preuve d'introduction. Je suis le gendarme […]. Mon matricule est le […]. Je travaille pour l'EISN. C'est l'Équipe intégrée sur la sécurité nationale. […] J'aimerais que pour les fins de l'exercice vous vous identifiiez, monsieur, s'il vous plaît.

– Monsieur […], mon nom de famille. Mon prénom est […].

Pendant ce temps, chez elle, la maman d'Ali est rongée par l'angoisse. Un peu en colère contre son mari, aussi. Que va-t-il arriver à leur jeune fils maintenant que cette histoire a atterri entre les mains de la division de la sécurité nationale de la GRC ? Peut-être qu'il ne l'a pas volé, cet argent. Peut-être que quelqu'un le lui a donné. Après tout, ils ont toujours enseigné les valeurs d'honnêteté à leurs enfants, que le vol, c'est interdit.

C'est le cœur d'une maman déchirée qui parle.

« MES PARENTS ONT TROUVÉ L'ARGENT »
13 OCTOBRE 2014

Le lundi 13 octobre au matin. Ali arrive vraiment contrarié à son école. Il est furieux contre ses parents. Tous ses efforts, tous les risques qu'il a courus samedi soir sont anéantis à cause d'eux. Son butin a été confisqué. Les couteaux ont disparu de la maison et il n'a même pas assez d'argent pour en acheter un autre. Ce que le jeune ne sait pas en revanche, c'est qu'il est désormais un sujet d'intérêt pour les enquêteurs de la GRC chargés de la sécurité nationale en plus du SCRS. Tout comme l'est depuis des mois son mentor, Ahmad Rouleau.

Après avoir retourné le problème sous tous les angles, Ali ne voit qu'une solution : quêter auprès d'@*Ahmad-Rouleau*. Il contacte son confident la première fois en après-midi via Twitter avant de retirer sa demande parce qu'il pense avoir «trouvé un moyen», écrit-il. Le lendemain en soirée, vers 21 h 15, Ali appelle à nouveau son ami à sa rescousse.

tu aurais besoin de combien ?

ALI

50 mais si tes pas d'accord je peux bien sûr baisser à ta guise et te rembourserai des que je pourrai

@AhmadRouleau

je vais checker ça. J'aurai aimer te voir l'autre fois au lieu de te filer de l'argent comme ça... Je suis suivi donc c'est déjà mauvais pour toi

ALI

hum tu as raison quand est c que tu es libre alors ?

@AhmadRouleau

mardi prochain je vais à MTL je peux aller à midi à ton école

ALI

Ok *in sha allah* le nom de mon école est [...] et mes périodes de midi sont entre 1230 et 1330. Je te préviens que les filles sont une grosse *fitna* [tentation, incitation au péché] parce qu'elles sont en jupe

@AhmadRouleau

je sais en Occident c'est grave. Ils vont brûler. Ok je te tiens au courant

La conversation s'arrête là. Deux heures plus tard, une fois son père parti travailler, Ali se connecte à nouveau à son compte Twitter. Ce n'est plus 50 $ qu'il réclame à Rouleau mais 200 $. Avec ce sous-entendu énigmatique :

ALI

Tu verras *in sha allah* dans quoi je vais l'utiliser de toute façon

@AhmadRouleau

C'est trop j'ai pas beaucoup d'argent ces temps-ci mais sinon y'a la *ghanima* [butin de guerre] partout *akhi* et ce serait beaucoup + safe pour toi au lieu que je vienne vu que je suis suivi

L'adolescent se décide à tout avouer à son correspondant dans une série de messages :

ALI

je t'explique tout de suite alors

J'ai pris de la *ghamina* samedi soir

J'ai réussi à pas me faire attraper par la police mais mes parents ont trouvé l'argent dans la cour arrière

Du coup j'ai plus l'argent et le couteau

Mon père m'insultais moi et les *mujahidin* hier

et il m'a dit que j'ai volé 1 000 $

je ne savais pas que j'avais volé autant

je n'ai plus d'arme

je veux recommencer *in sha allah* mais je sais pas avec quoi

Rouleau, l'adulte, va alors pousser son jeune interlocuteur au lieu de le décourager de persévérer dans ses projets criminels.

@AhmadRouleau

T'aurais du tout garder sur toi mais ressaye *in sha allah*

Sinon t'as pas besoin d'argent tout est *ghamina* même une auto

Puis conseil, tu ne devrais pas me dire tout sur le net

Garde ça confidentiel et remet toi en Allah

Ali ne lâche pas le morceau. Après quelques minutes de pause, il relance son contact.

ALI

Une voiture c'est risqué J'essaie main nue ? Tu penses que ça marcherai dans un petit commerce ?

@AhmadRouleau

Allah Alem (Dieu seul le sait) mais comme je te dis ils voient tout sur mon internet donc c'est pas *wise* d'écrire ça

ALI

tu as raison

@AhmadRouleau

conseil que je te donne, sois sincère avec Allah et Allah t'aidera

> oui. Alors oublie ma demande d'argent je vais trouver un moyen *in sha allah*

@AhmadRouleau

> OK

Cela fait désormais six jours que le braquage a eu lieu. Les policiers de la GRC et de la police de Montréal poursuivent leur enquête. Ils ont conseillé aux parents d'Ali d'être très vigilants et de les appeler au moindre doute, même la nuit. Par exemple, s'ils le surprenaient en train de préparer un sac avec des vêtements. Le risque de départ est bien réel. «Rends-moi le sac et je m'en vais immédiatement», s'était emporté Ali après que son père eut trouvé le sac rempli de billets de banque.

Le jeune garçon ne semble pas conscient que l'étau se referme sur lui. Il contacte Diego, le converti rencontré au cours de l'été. Il lui propose de se retrouver ensemble de toute urgence pour manger un morceau et discuter. Une fois attablé au centre-ville en compagnie d'un autre «frère», l'adolescent leur fait cette confession stupéfiante sans trop préciser: «J'ai volé un dep [dépanneur] avec un couteau mais mon père m'a attrapé.» Diego le regarde, un peu ébahi. Il ne veut pas le croire. Il s'agit forcément d'une fanfaronnade. Pourquoi ce gamin aurait-il fait ça? Pour aider les gens là-bas, lui aurait dit Ali. «De toute évidence, c'était un ado qui ne voulait pas écouter. Quand on est prêt à commettre de telles erreurs dans sa vie, c'est que l'on n'a pas conclu de pacte avec quelqu'un de raisonnable », constate Diego deux ans et demi plus tard lors d'échanges que j'ai eus avec lui. Diego exprimera aussi des regrets de ne pas l'avoir cru, de ne pas avoir eu le temps de le remettre sur le droit chemin et de lui faire entendre raison. Mission quasi impossible si j'en juge par ce que m'a confié une jeune fille qui, pendant un temps, a été aspirante au grand voyage : « Y'a personne qui peut te contredire et te ramener à la raison, entre autres parce que tu as pris soin d'éliminer petit à petit tous ceux qui dans ton entourage, parents et amis, sont contre toi. »

Mais quel était le but de cette rencontre sollicitée à la dernière minute par Ali, lui qui cherche désespérément de l'argent pour s'acheter un couteau ? Espérait-il que Diego lui prête quelques dollars pour tenter un autre braquage ? En fin de journée du 16 octobre, sitôt ses cours achevés, il envoie une série de messages à Martin Couture-Rouleau en faisant allusion à une mystérieuse tentative de vol qui aurait échoué.

ALI

> désolé de changer à chaque fois d'idée mais accepte tu de me passer 50 $?

> le + rapidement possible

> demain vas-tu à la prière du *jumu3a* [prière du vendredi] à Montréal ?

> braquage à main nue ou avec un bâton ça marche pas

> le vendeur s'est défendu

Impossible de savoir s'il lui ment pour tenter de le soudoyer ou si Ali a vraiment essayé de braquer une seconde fois un commerçant.

Quoi qu'il en soit, l'ado n'obtient aucune réponse.

Rouleau a d'autres soucis qui lui trottent en tête.

D'autres projets aussi.

Plus funestes.

L'ARRESTATION
17 OCTOBRE 2014

Ce vendredi 17 octobre en mi-journée, Ali mange son lunch à la cafétéria de son école. Il a passé une partie de la nuit précédente à naviguer sur les réseaux sociaux. À deux heures du matin, il avait envoyé un court message à Martin Couture-Rouleau pour lui demander s'il serait libre samedi ou dimanche pour le rencontrer. Il a eu aussi un bref échange avec un mystérieux soi-disant propagandiste de l'État Islamique sur Twitter. Mystérieux parce que personne parmi les spécialistes canadiens qui suivent à la trace les activités numériques des djihadistes n'ont pu le relier avec certitude à un nom. D'où l'hypothèse que ce compte, qui a été fermé par la suite, ait pu être un piège d'un service de renseignement… Ali mentionne à son interlocuteur qu'il n'utilise plus Facebook.

Le directeur de son école secondaire s'approche et l'invite à le suivre à son bureau. Lorsque la porte s'ouvre devant lui et qu'il pénètre dans la petite pièce, Ali aperçoit immédiatement les deux policiers qui l'attendent de pied ferme. Il a compris… L'un d'eux, qui est enquêteur, lui lit ses droits avant de le mettre en état d'arrestation pour le braquage du dépanneur. Après une brève conversation, Ali est conduit, sans menottes, jusqu'à la voiture de police garée devant l'école. Son ordinateur portable est saisi. Les élèves témoins de la scène comprennent que leur camarade a des ennuis. L'événement ne passe vraiment pas inaperçu au grand dam des parents qui ne digèrent toujours pas pourquoi la police a arrêté leur fils mineur devant tant de témoins. Y avait-il une si grande urgence qu'ils ne puissent pas faire ça ailleurs plus discrètement? se questionne encore son père trois ans plus tard. Quant au directeur, il est d'autant plus abasourdi que rien ne lui avait laissé entrevoir qu'Ali, un élève si studieux, si poli, si brillant, avait une vie cachée plus sombre.

Une fois arrivé au centre opérationnel, Ali est conduit dans une cellule après avoir été fouillé, qu'on lui eut ôté ses lacets de chaussures et saisi différents objets personnels.

Il passe ainsi quelques heures entre les quatre murs de cette pièce dépouillée, le temps pour les enquêteurs de faire deux perquisitions chez ses parents et dans son casier à l'école. Les policiers y découvrent des vêtements et une paire de chaussures sport identiques à celles portées par le suspect sur les vidéos de surveillance du dépanneur. En début de soirée, Ali est extrait de sa cellule et amené dans la salle d'entrevue du Centre opérationnel Ouest de la police de Montréal. Il s'agit d'une pièce équipée de micros et de caméras afin d'entendre ce qui s'y dit et de capter les moindres gestes du policier et du suspect. L'enquêteur qui l'attend commence par expliquer calmement à Ali le motif de son arrestation, lui dit qu'il est enregistré, lui détaille ses droits et, en particulier, celui de garder le silence et d'appeler un avocat ou ses parents à la rescousse. Ce que l'adolescent refuse. Celui-ci est peu loquace. Il accepte seulement de répondre aux questions qui concernent sa scolarité et sa famille. La plupart du temps par des «ouan», des «oui» et des «non» laconiques. Dès que le policier s'aventure en terrain criminel en évoquant le vol dans petit commerce, Ali se braque et réplique par des «je réponds pas».

Le policier se lance alors dans de longs monologues pour tenter d'amadouer et d'infléchir Ali.

– Comme je t'ai dit, il y a des choses qui s'expliquent dans la vie… On a parlé à ton père. Ton père nous a expliqué certaines choses. Que depuis environ 2012 tu fréquentes des sites qui sont peut-être terroristes islamistes. C'est pour ça que je te rencontre aujourd'hui. Je trouve que tu es jeune. Je te mentirais si je te disais que je comprends tout ce qui se passe sur ces sites-là. Mais ce que je peux comprendre, c'est que souvent ils vont manipuler des jeunes. Des gens vulnérables. Leur dire : «On fait la Révolution. On a besoin d'aide.» Ça peut être une explication. Tu comprends ?

Rien n'y fait.

Imperturbable, le policier poursuit sur sa lancée :

– Mais, il y a un gars de 15 ans qui a jamais eu de problèmes avec la police et qui a jamais été impliqué dans quoi que ce soit avec la police. Même pas interpellé. Et tout d'un coup un vol qualifié. D'où ça sort? C'est pas normal. Une personne qui va à l'école, qui étudie. T'es une personne intelligente.

Le monologue du policier s'étire. Mais il parle à un mur.

– T'as pas besoin d'argent, continue-t-il. Souvent, on voit des jeunes en fugue. Ils ont besoin d'argent. Tu sais, on rencontre des jeunes qui se prostituent, qui font des vols. Ils vont dans les gangs de rue. Toi, t'as une maison, une belle chambre dans la maison de tes parents, t'es nourri… Tes parents qui prennent la peine de t'envoyer à l'école privée. Cette année, ton père il paye 4 000, 5 000 $. Pourquoi? Pour que tu réussisses dans la vie. […] Toi, dans cinq ans, tu te vois où? Allo! Est-ce qu'il y a une raison pour laquelle tu ne me parles plus?

– Je ne réponds pas.

– Tu ne réponds pas?

– Non!

– Pourquoi?

– Parce que.

L'adolescent reste campé sur sa position. Mais son interrogatoire est loin d'être terminé. C'est au tour d'un enquêteur de l'Équipe intégrée de la sécurité nationale de la GRC de prendre le relais. La soirée est déjà bien avancée. Dans le domaine de la sécurité nationale, les interrogatoires tournent autour de deux axes. L'élément criminel en lui-même sur lequel reposent les accusations et, en plus, les motivations et les éléments de radicalisation. L'exercice a aussi pour objectif d'identifier un éventuel agent de radicalisation qui graviterait dans l'environnement du suspect et le manipulerait comme un marionnettiste. Ce policier en a vu beaucoup dans sa carrière, mais c'est la première fois qu'il affronte un suspect âgé de 15 ans dans un dossier de terrorisme. Il tente d'apprivoiser Ali en le questionnant sur sa jeunesse, sa famille, ses résultats scolaires. Le jeune répond succinctement. Mais il reprend vite son attitude bornée. Les «je m'en fous», «je ne sais pas» et «j'ai pas envie de parler» s'enchaînent l'un après l'autre. Ali paraît calme et en maîtrise totale.

Tout bascule lorsque l'enquêteur de la GRC lui demande pourquoi il a cessé la pratique du karaté, sport dans lequel il excellait. Son débit de parole s'accélère et devient plus saccadé. L'adolescent est piqué au vif:

– Parce qu'on ne doit pas se prosterner à un autre qu'Allah, dit-il. Celui qui se prosterne à autre chose, il a commis le polythéisme, mécréant.

L'argument de la responsabilité collective des populations qui sont redevables des décisions de leurs dirigeants est martelé depuis des années dans la sphère djihadiste pour justifier les attentats. Une attaque des armées «croisées» contre une partie de la *oumma* en est une contre toute la communauté qui doit engendrer automatiquement une riposte violente. À titre d'exemple, les policiers de la GRC trouveront dans l'ordinateur d'un jeune Canadien accusé de terrorisme une photo de Dzhokhar Tsarnaev, l'un des deux frères auteurs de l'attentat au marathon de Boston – et seul survivant – accompagné de cette phrase : « Quand vous attaquez un musulman, vous vous en prenez à tous les musulmans. »

C'est la loi du Talion. Le cycle infernal du sang qui appelle le sang et les larmes. Et ainsi de suite. Néanmoins, on peut aussi répliquer que l'opération lancée en Afghanistan en 2001 s'est rapidement transformée en punition collective d'un peuple dont le seul tort était de résider dans un pays choisi par Al-Qaïda pour y installer quelques camps dans la région de Kandahar. Aucun Afghan n'avait été impliqué dans des attentats, y compris ceux du 11 septembre 2001.

Cette notion apparaît aussi en filigrane dans la communication post-attentats de l'État Islamique. L'auteur du carnage de Nice, en France, le 14 juillet 2016, a été présenté comme un « soldat de l'État Islamique » qui a « exécuté cette opération en réponse à l'appel à viser les citoyens des États de la coalition qui combat l'État Islamique ». Dans une vidéo diffusée par l'EI après les attentats de mars 2016 à Bruxelles, un djihadiste belge propose pour la première fois en revanche un pacte de paix basé sur les mêmes prémisses : « Nous, ici, sur la terre du califat, nous vous donnons ce conseil : réagissez contre vos gouvernants qui vous plongent dans le chaos.

Dites-leur de retirer leurs avions, dites-leur de retirer leurs soldats. Et vous vivrez en paix. »

Le policier est médusé. Du haut de ses 15 ans, Ali recrache pendant plus de deux heures avec aplomb tous les éléments de langage et la rhétorique habituelle prémâchée et polarisante des porte-voix de la doctrine djihadiste. « Mécréants », « apostats », « transgresseurs », « butin de guerre », « terre de guerre »…

Cet enfant débite, en faisant souvent craquer ses doigts, une leçon apprise par cœur à force d'ingurgiter les propos de ces influenceurs. Ali est « victime de la propagande nauséabonde et haineuse d'une idéologie morticide », plaidera son avocat lors de son procès.

Pendant ce combat de mots, les parents d'Ali sont rongés par l'angoisse. Ne rien savoir de ce qui se déroule dans cette salle d'interrogatoire les tourmente. Le père donnerait tout pour être à côté de leur fils reclus dans cette pièce froide, lui offrir au moins un soutien psychologique. Mais le jeune garçon a refusé. Il affronte seul cette épreuve jusqu'au moment où il répète qu'il n'a plus envie de parler. Puis, c'est le silence. Le policier quitte la salle quelques minutes. Ali est seul. Va-t-il réfléchir et changer d'attitude ? Les micros captent sa respiration qui devient plus forte. Il marmonne quelques mots inaudibles. Le policier revient. Tente d'engager à nouveau la conversation. Peine perdue. L'ado ne dit plus un mot. Il a revêtu sa carapace. « Il est 22 h 46, ceci conclut notre entrevue », déclare le policier sur un ton laconique.

Celui-ci doit se résoudre au fait qu'il n'arrivera plus à tirer le moindre jus du jeune suspect.

Le lendemain matin, un nouvel élément survient dans l'enquête. Les parents informent l'un des policiers qu'ils veulent leur remettre un document qui pourrait faire progresser leurs recherches. Le document en question, c'est ce petit bout de papier trouvé dans une poche de pantalon de leur fils au mois de septembre. Celui avec le numéro de téléphone de Couture-Rouleau. Deux enquêteurs se déplacent à leur domicile pour en prendre possession. La rencontre avec la mère est brève. Elle est formelle : c'est bien son fils qui a écrit ce numéro. Elle reconnaît son écriture caractéristique, son trait bien appuyé au point de presque déchirer le papier.

L'ATTENTAT
20 OCTOBRE 2014

Il est midi lorsque les radios et télévisions annoncent en ouverture de leur bulletin de nouvelles que deux personnes ont été blessées, dont l'une très gravement, dans le stationnement d'un petit complexe commercial de la ville de Saint-Jean-sur-Richelieu, au sud de Montréal. Selon les premières informations, les victimes auraient été heurtées par le conducteur d'une Nissan Altima de couleur beige qui a pris la fuite. Les premiers témoins parlent d'une scène horrible décrite froidement ainsi dans le rapport du coroner :

Un policier patrouille dans le stationnement du centre commercial. Il circule vers le sud le long des entrées des commerces. Son attention est attirée par le bruit d'impact et des gens qui crient. Il voit une personne projetée dans les airs. Il demande immédiatement une ambulance à 11 h 33. Plusieurs témoins de la scène commencent les manœuvres de réanimation alors que le policier prend en chasse le véhicule qui a heurté les deux piétons. M. V. est couché face

contre le sol. Il est inconscient, mais il
respire. Il a beaucoup de sang au niveau de
la bouche et il y a une mare de sang au sol.
Les ambulanciers arrivent à 11 h 38. M. V. est
toujours inconscient et présente une respiration
laborieuse et superficielle à 28 respirations
par minute.

Ce qui apparaît au départ comme un énième fait divers tragique prend rapidement une autre tournure. Le fuyard contacte le 911 alors qu'il roule vers l'extérieur de la ville. La discussion s'engage :

– 911, quelle est votre urgence ?

– Mon nom c'est Martin.

– Oui.

– Je viens de frapper un soldat, j'ai la police au cul.

– OK, OK.

– Je veux juste vous avertir...

– Oui.

– ... avertir le Canada, le gouverneur puis tous ceux-là qui sont responsables avec l'armée de débarquer de la coalition contre l'État Islamique.

– Martin, Martin, pourquoi tu te rends pas ?

– Non, je me rendrai pas.

– Pourquoi ?

– Parce que peut-être je vais croiser un autre de vos soldats, je vais l'abattre.

– Martin, t'es bien mieux...

– Non non, pas... pas...

– T'es bien mieux de te rendre.

– J'suis pas au téléphone pour discuter, j'suis au téléphone avec vous pour vous passer un message.

– Ouin, mais regarde là...

Un bruit parvient aux oreilles du répartiteur.

– Martin ?

Martin Couture-Rouleau, qui avait dit le 6 octobre à Ali que l'ordre donné par al-Adnani était *halal*, vient de perdre le contrôle de son véhicule après avoir foncé sur un policier à un barrage routier au terme d'une poursuite de neuf kilomètres. Son auto est retournée sur le toit, dans l'herbe, au bord d'un fossé. De la fumée sort du moteur. Les coussins gonflables sont déployés. Une policière brise la vitre du côté conducteur avec son bâton télescopique puis recule d'un bond. Martin Couture-Rouleau s'extirpe de l'habitacle en rampant avec difficulté.

– Lève tes mains ! Lève tes mains ! crient les policiers armés de leurs pistolets semi-automatiques Glock.

Rouleau, dans un ultime geste de bravade, se lance en hurlant vers l'un des agents de police, un couteau dans chaque main, dont l'un a une lame de 25 centimètres. Les policiers reculent et hurlent:

– Lâche ton arme, jette ton arme, lâche ton arme!

Les premiers coups de feu claquent. Rouleau est atteint mais ne renonce pas. Il avance, toujours courbé vers l'avant avec ses couteaux, les yeux fixés sur les policiers, puis s'effondre lourdement dans l'herbe, touché à la tête.

L'autopsie déterminera qu'il a reçu 11 projectiles de calibre 9 mm dans le corps au cours de cette séquence qui n'aura duré que trois secondes. «L'alcoolémie est négative. Aucune substance n'est détectée», note le coroner dans son rapport. Son décès sera constaté trois quarts d'heure plus tard tandis que celui de sa victime le sera à 22 h 58. Le coroner mentionne aussi que l'analyse de l'ordinateur et du téléphone de l'assaillant n'a pas permis d'établir «des contacts avec un éventuel complice et aucun message indiquant l'intention de passage à l'acte». En revanche, les enquêteurs trouveront dans le véhicule accidenté un testament rédigé par une mosquée de Montréal quelques jours plus tôt dans lequel sont détaillées ses dernières volontés, en particulier celle d'être enterré selon le rite funéraire musulman.

Les bureaux montréalais de l'Équipe intégrée de la sécurité nationale de la GRC s'animent soudainement. Une armada de policiers est mobilisée sur cette enquête qui débute à peine. Leur première urgence est de s'assurer que Rouleau n'a pas de complices et d'écarter tout risque de nouvelle attaque programmée ou par mimétisme, que les criminologues appellent l'effet *copycat*. Tous les dossiers de suspects passés ou présents sont passés au crible, on soulève toutes les pierres, comme on dit dans le jargon policier et du renseignement. Les enquêteurs font rapidement le lien entre le numéro de téléphone de Rouleau, l'auteur de cette attaque terroriste déjà bien connu dans leur unité, et le jeune adolescent incarcéré depuis quatre jours. En soirée, deux autres enquêteurs, dont celui qui avait interrogé le jeune garçon le soir de son arrestation, sont dépêchés au centre jeunesse où Ali est enfermé depuis son arrestation.

La rencontre débute froidement. Ali est toujours aussi buté. Il refuse de leur serrer la main. Il ne veut pas non plus qu'un de ses parents ou qu'un avocat soit présent.

– La ville de Saint-Jean-sur-Richelieu, ça ne te dit rien ? lui demande l'un des deux policiers, l'air grave.

– Non, je sais c'est où mais je n'y suis jamais allé, répond l'adolescent.

– OK d'accord, dit le policier tout en ouvrant une chemise cartonnée.

Il en extrait quelques photocopies d'articles de journaux qu'il glisse sur la table avec le plat de sa main jusque sous les yeux d'Ali.

– Aujourd'hui, poursuit-il, il s'est passé quelque chose de très, très grave à Saint-Jean. Je t'ai imprimé quelques articles publiés dans les journaux. Je veux juste que tu les lises… Vas-y…

Ali saisit les feuilles une à une. Ses yeux balayent les documents. Il se pince le coin des lèvres avec ses dents. Le policier l'observe attentivement. Il cherche à interpréter son langage non verbal.

– Il s'est fait tuer ? demande Ali avec une légère hésitation dans la voix.

Le policier lui répond que oui puis entre dans le vif du sujet. Il s'apprête à l'acculer au mur de ses contradictions. Lorsqu'il lui demande s'il connaît l'auteur de l'attaque, Ali répond que non. Le policier insiste, lui demande s'il en est sûr, si le nom ne lui est pas connu, s'il ne lui a même pas déjà au moins parlé à défaut de le rencontrer. «Non», réplique chaque fois le jeune avec son aplomb habituel. Jusqu'au moment où le policier lui apprend qu'ils ont récupéré le morceau de papier sur lequel est inscrit le téléphone de Rouleau. «Oui je le connaissais, c'est quoi le problème ? » lance-t-il alors, ajoutant que c'est la peur d'être faussement accusé d'avoir un lien quelconque avec cette attaque qui l'avait incité à lui mentir. Il jure «par Dieu» qu'il ne l'a jamais rencontré, qu'il n'était pas au courant des plans criminels de Rouleau et qu'il n'a aucune idée si d'autres individus se préparent à passer à l'action eux aussi… Rien de tout ça.

Le policier revient à la charge :

– Est-ce que tu avais l'intention de faire comme lui ?

– Je réponds pas.

– Si tu es innocent, tu devrais me le dire.

— Mais j'ai le droit de garder le silence. Garder le silence ce n'est pas une preuve contre moi.

— Est-ce que tu penses que c'est une idée à lui ou c'est quelqu'un d'autre qui lui a dit de faire ça?

— Je réponds pas.

— Est-ce que tu penses qu'il fait partie d'un groupe?

— Je réponds pas.

Les «non» et les «je réponds pas» se succèdent pendant plusieurs minutes jusqu'au moment où le policier perd patience.

— Tu sais... En 15 ans de service, j'ai vu plein d'innocents pis j'ai vu plein de coupables. Et, vois-tu, jamais un innocent ne m'a parlé comme ça!

Peine perdue. Ali ne semble pas impressionné par l'exaspération évidente de son interlocuteur dont la seule préoccupation à court terme est d'anticiper et de contrer un éventuel nouvel attentat. Le policier tente alors de lui faire comprendre que ce n'est pas un jeu, que la situation est sérieuse et que les victimes auraient pu être sa mère, son petit frère ou son grand-père. La réplique d'Ali est aussi cinglante que révélatrice de son état d'esprit du moment.

— Est-ce que des grands-pères sont morts, hein? Est-ce que ce sont des mères qui sont mortes? Non! Il a visé des soldats en uniforme.

– Ali, je vais te dire quelque chose. Chaque attentat qui survient comme celui-là et dont tu étais au courant et que tu n'as rien fait, tu l'auras sur la conscience. Et à un moment donné, ça va te rattraper. Est-ce que tu fais partie d'un groupe terroriste ?

– Non.

– Est-ce que Rouleau t'a déjà fait part de ses plans ?

– Non.

– Jamais ?

– Jamais.

– Est-ce que tu as une idée de la raison pour laquelle il a commis cette attaque ?

– Parce que le Canada est intervenu en Syrie et en Irak.

– C'est lui qui t'a dit ça ou tu crois que c'est ça ?

– C'est clair. Il a certainement fait ça pour répondre à… à l'intervention du Canada contre l'État Islamique.

Les questions se succèdent. Le jeune garçon raconte qu'il est convaincu que d'autres attaques vont avoir lieu dans le monde et qu'elles seront la conséquence directe des propos d'al-Adnani.

– Combattre l'État Islamique, c'est mener une guerre contre l'islam et les musulmans. Continuez d'arrêter des musulmans et d'envoyer des soldats quelque part pour tuer des musulmans et on va… ils vont vous attaquer c'est sûr, dit-il.

Silence dans la pièce. Les deux enquêteurs se regardent, interloqués. Cela fait des années qu'ils pratiquent leur métier. Ils ont eu affaire à des criminels endurcis, des meurtriers, des agresseurs sexuels, des kidnappeurs, des voleurs. Des néophytes, des récidivistes, des vieux routiers du crime, des types dégueulasses. Certains étaient pris de remords et pleuraient à leur sortie de prison, relate un des deux policiers. « Même des gros durs bardés de tatouages », précise-t-il. D'autres assumaient leurs crimes. Ils n'avaient aucune gêne à expliquer leurs gestes. Tandis que là, devant eux, il y a ce jeune qui semble complètement indifférent et détaché.

Les jours suivants, les policiers de la division technologique continuent leur exploration du contenu de l'ordinateur portable d'Ali et de celui de Martin Couture-Rouleau. « Une enquête, c'est comme un arbre avec plusieurs racines », explique un policier aux parents. On suit méticuleusement chacune de ses racines pour essayer de trouver qui a pu radicaliser ou influencer. Et chez un jeune accusé de terrorisme, un ordinateur ou un téléphone intelligent est une mine d'or pour des enquêteurs.

Tout le contenu de l'appareil d'Ali a été extrait et copié sur un disque dur externe à l'aide de logiciels spécialisés dont l'un, conçu sur mesure pour la GRC, permet d'accéder au contenu de la mémoire d'un ordinateur même si ce dernier est verrouillé par un mot de passe. Un jeu d'enfant. Ce petit outil miracle trompe l'ordinateur lors de son démarrage ou redémarrage et fait une copie miroir du disque dur. Les informations ainsi siphonnées sont triées avec des mots-clés et indexées avant d'être transmises aux enquêteurs chargés du dossier.

Mais, il y a un hic. Impossible pour les techniciens de la GRC d'accéder au compte Twitter de l'adolescent et, en particulier, à ses messages privés. Le SCRS qui travaille aussi sur le dossier d'Ali depuis des mois les détient probablement. Mais la GRC doit plutôt se résoudre, entre autres pour des raisons juridiques, à solliciter le FBI américain. Ce contretemps va engendrer des délais de près de deux mois, si bien que la frustration est palpable au sein de l'équipe chargée de l'enquête.

Et ce n'est pas tout. Deux semaines après l'attentat, les policiers réalisent avec stupéfaction lors d'une nouvelle rencontre avec le père de l'adolescent que la découverte du papier avec le numéro de téléphone de Rouleau n'est pas si récente, contrairement à ce qu'ils avaient cru comprendre. Et, surtout, que le SCRS s'intéressait à Ali depuis des mois, était au parfum pour le numéro de téléphone de Rouleau et avait demandé aux parents du jeune de garder le silence sur leur trouvaille.

Ce rebondissement crée une petite friction entre des parents qui ont les nerfs à fleur de peau et des enquêteurs irrités d'avoir l'impression qu'un pan de l'histoire leur échappe.

– Votre relation avec le SCRS, elle a débuté quand exactement ? J'essaie juste de comprendre, monsieur, questionne un enquêteur.

C'en est trop pour le père. Il chavire :

– Suis fatigué… tellement fatigué… je perds mon contrôle…

Ces pauvres parents n'ont aucune idée des tiraillements inévitables entre les différents acteurs de la lutte au terrorisme qui ont chacun aussi leurs contraintes opérationnelles et légales. La loi proscrit que le renseignement recueilli par le SCRS soit transmis à des policiers. Mais c'est le dernier des soucis de cet homme épuisé et accablé, en plus, par des pépins de santé.

PREMIÈRE COMPARUTION
3 DÉCEMBRE 2014

L'adolescent fait son entrée dans une salle du deuxième étage de la Chambre de la jeunesse avec des chaussures de sport rouges flambant neuves aux pieds. Il avance, tête baissée et l'air penaud, vers sa place réservée à côté de ses avocats. Il paraît plus vieux que son âge. Sa première apparition depuis son arrestation se déroule dans cette pièce qui ressemble plus à une salle de conférence intime, avec sa table circulaire et les quelques chaises disposées pour le public le long du mur, qu'à une salle d'audience intimidante. Sa comparution est expéditive, le temps pour un de ses avocats de réclamer un interdit de publication pour les médias par crainte que son jeune client soit victime d'intimidation dans le centre jeunesse où il est détenu et où se côtoient «beaucoup de cultures différentes», justifie-t-il. Sans surprise, le juge ordonne qu'il subisse une expertise psychiatrique tandis que de son côté, la Couronne s'oppose à sa remise en liberté. La routine.

Dès la fin de l'audience, le jeune accusé est conduit vers la sortie sous bonne escorte.

Jamais il n'aura regardé, ne serait-ce qu'un instant, son père assis au premier rang.

SOLDATS DE LA « CAUSE »
JANVIER 2015

En ce début d'année 2015, ce sont deux attentats meurtriers commis à Paris par un trio djihadiste dans les locaux de l'hebdomadaire satirique *Charlie Hebdo* et dans le supermarché Hypercacher qui dominent l'actualité. Deux attaques qui marquent le début d'une série noire qui ira crescendo et s'étendra sur la planète. C'est dans ce contexte troublé que le jeune Ali fait de brèves apparitions à la Chambre de la jeunesse au cours des premiers mois de 2015, essentiellement pour des questions de procédure. Le jeune homme affiche chaque fois une attitude en apparence détachée et désinvolte qui dissimule plutôt une réelle timidité et réserve, selon son avocat. Il ne bronche même pas lorsque, fin janvier, la Couronne fédérale laisse planer l'éventualité de réclamer une peine pour adulte. Ce qui signifierait le risque de croupir presque toute sa vie derrière les barreaux d'une prison au lieu d'une sentence moindre purgée dans un centre jeunesse. À ce moment-là, l'adolescent de 15 ans n'est qu'une curiosité, une anomalie sur la courbe statistique du phénomène djihadiste au Canada qui implique des individus plus âgés, dans la mi-vingtaine. À tel point qu'il se sent observé comme une bête de foire. Puis, le vent commence à tourner. Six jeunes garçons et filles âgés de 17 à 19 ans, ainsi qu'un étudiant à la maîtrise de 29 ans inscrit en génie informatique à Polytechnique, quittent subrepticement le Québec à trois jours d'intervalle à la mi-janvier 2015, avec la Syrie comme destination finale. Parmi eux, Karim.

Cet événement confirme une tendance émergente en Occident, en l'occurrence un abaissement progressif de l'âge des jeunes attirés par l'aventure du djihad combiné à l'augmentation du nombre de filles. Enquêteurs et familles tentent de maintenir une chape de secret autour du départ du groupe. Mais, fin février, la nouvelle éclate dans les médias : « Du cégep à la Syrie : six Québécois manquent à l'appel », « Des cégépiens soupçonnés d'avoir joint le groupe État Islamique »…

Leurs cas s'ajoutent à au moins celui de deux autres jeunes filles de 18 et 19 ans mystérieusement disparues au cours de l'automne précédent. « Il y avait des signes de radicalisation. Malheureusement, on les a perdues, elles sont déjà rendues là-bas », commenta alors laconiquement un haut gradé de la police.

Leur profil – de bons élèves sans antécédents judiciaires, issus de familles de la classe moyenne bien intégrées – se situe aux antipodes de celui que l'on dresse du jeune djihadiste occidental, en particulier européen. Certains sont nés à l'étranger et ont immigré dans leur enfance. Les autres sont nés au Québec. Plusieurs étudient en sciences pures et se destinent à travailler dans le domaine de la santé et des services sociaux. Leur cote « R » est souvent excellente. De quoi susciter une vraie incrédulité, notamment chez ceux qui se complaisent à caricaturer systématiquement les jeunes ayant ou voulant tout quitter pour embrasser cette cause comme des *losers* avides de violence, des paumés souffrant de maladie mentale ou des drogués, sans réelle ferveur religieuse, peu politisés et à peine informés de la situation sur le terrain.

Un portrait faussé de leur réalité qui leur fait mal. Surtout lorsque ces critiques fusent au sein même de leur communauté, plusieurs membres remettant en doute leur connaissance de la religion. Ou bien considèrent que la religion n'est qu'un prétexte enrobant leur idéologie violente et mortifère. Comment peuvent-ils invoquer la stigmatisation comme cause de leur départ alors qu'ils éprouvent de la sympathie pour un groupe armé qui n'hésite pas à ostraciser et à tuer d'autres musulmans ?

Ces jeunes sont amers. Ils regrettent que la sincérité et la force de leur sentiment religieux soient jaugées selon le nombre de sourates du Coran qu'ils connaissent sur le bout des doigts. Ils haussent les épaules lorsqu'ils sont confrontés à cet argument ridicule et récurrent du livre *Le Coran pour les nuls* qui serait leur seule lecture de chevet. « Même ceux qui étudient la religion en Arabie saoudite n'ont pas assez de leur vie pour tout apprendre », soupire Anna. Mais ce qui les choque encore plus, c'est le manque d'empathie, y compris dans leur entourage, pour les jeunes d'ici déclarés morts en Syrie ou en Irak. Ces « qu'ils aillent en enfer ! » leur font mal.

Au sein du groupe, on remarque deux jeunes couples. Les deux filles, comme au moins quatre autres venues également du Québec, vont donner plus tard naissance à au moins un enfant en zone de guerre. Il y a aussi Mohamed, 19 ans, connu jusque-là pour son militantisme actif, son prosélytisme et sa participation à des manifestations contre l'islamophobie et le gouvernement alors en place. Son appel à la prière filmé en 2012 sur les hauteurs du mont Royal, Montréal à ses pieds, avec son visage d'adolescent serré entre ses deux mains, les yeux mi-clos et son inséparable keffieh rouge et blanc tombant sur ses épaules, connaît encore aujourd'hui un énorme succès sur Internet, dont YouTube. Mohamed est présumé décédé au combat en Irak quelques semaines après son arrivée. Une prière a été célébrée en sa mémoire au Québec. Plusieurs le décrivent comme un jeune garçon très doué au charisme évident.

Certains parents qui soupçonnaient chez leurs enfants des velléités de départ avaient caché leurs passeports. Comme l'avaient fait ceux d'Ali. Peine perdue : ils ont rusé, par exemple en déclarant le vol à la police pour en obtenir un nouveau. Ou l'ont retrouvé en fouillant partout. Ils ont vendu consoles de jeu, robes de bal de finissant et d'autres biens personnels, demandé une hausse de leur montant maximum de carte de crédit ou commis quelques larcins pour financer leur voyage. Rien ne pouvait ébranler la détermination de ces jeunes un brin naïfs, dont certains connus pour leur réel altruisme, à changer de vie.

Sauver le monde ou en créer un nouveau? Ne riez pas. Chacun d'eux a des motivations différentes et une vision à plus ou moins long terme. Ils sont conscients qu'ils ne vont rien régler d'un coup de baguette magique. Alors, cela va de la consolidation du «projet» vanté par l'organisation État Islamique – l'édification de ce qui s'apparente à un État révolutionnaire et avoir la chance d'être parmi les premiers à en peupler le territoire – à une approche plus humanitaire de soutien aux populations locales. Une jeune fille avait planifié de cultiver un grand potager. Naïvement, elle s'imaginait déjà en train de récolter de beaux légumes qu'elle offrirait aux habitants des environs. Le goût de l'aventure compte également. Et le combat chez certains... même si aucun ne voudra l'avouer.

Aux yeux de plusieurs, la cause syrienne est en certains points comparable à celle de la Palestine, qui les mobilise aussi. Elle pourrit. Tout le monde en parle mais personne n'agit, constate une jeune fille. La seule différence, conclut-elle, c'est qu'il paraît impossible de s'établir en Palestine.

L'onde de choc causée par ces départs secoue la classe politique, les médias et les trois établissements scolaires concernés, en particulier le collège de Maisonneuve qui paraît le plus touché par le phénomène. «Des informations sérieuses nous permettent de croire que quelques-uns de nos jeunes étudiants se sont laissé convaincre de partir pour la Syrie. Toujours selon ces mêmes informations, il se pourrait qu'ils aient joint des groupes qui leur promettent une vie meilleure mais qui, en réalité, les endoctrinent dans un mouvement de radicalisation», écrit la direction dans une note interne. Les responsables concèdent aussi n'avoir rien détecté qui aurait pu les alerter sur les intentions réelles de ces élèves. Certains vont mentionner à postériori dans les médias avoir noté un changement dans la tenue vestimentaire et dans l'apparence physique de quelques membres du groupe, signe d'une plus grande ferveur. Mais ferveur religieuse n'est pas obligatoirement synonyme de radicalisme violent et encore moins de velléité de départ.

Le gouvernement québécois et la Ville de Montréal mettent sur pied un «Centre de prévention de la radicalisation menant à la violence» qui s'est donné pour vocation d'agir le plus en amont possible, en particulier auprès de jeunes et de leurs familles. Ou d'accompagner les cas problématiques. En toute confidentialité. Une option à la criminalisation souhaitée par de nombreuses familles.

Le mot radicalisation est sur toutes les lèvres. Les promesses d'ouvrir le robinet des généreuses subventions étatiques vont produire le même effet qu'un appât sanguinolent balancé au milieu d'un banc de requins affamés. Si plusieurs voient, à juste titre, dans ce phénomène du XXIe siècle un nouveau champ de recherche nécessaire et s'y consacrent sérieusement, on assiste également à l'émergence, comme ce sera le cas en France, d'opportunistes attirés par cette manne financière potentielle et la médiatisation qui disparaîtront aussi vite dans le néant qu'ils sont apparus dans la lumière.

Une policière est détachée à temps plein au collège de Maisonneuve ainsi que des intervenants sociaux et des psychologues. Les reportages se multiplient. L'établissement est devenu un cirque médiatique. La direction est pointée du doigt pour avoir laissé la situation dégénérer sans intervenir.

L'effet de sidération s'est tout juste atténué qu'une autre affaire touche au printemps le même établissement scolaire : l'arrestation d'un jeune couple d'étudiants d'à peine 18 ans, M. et S., et leur inculpation de terrorisme. C'est l'une des proches de S. qui, angoissée, a averti la police du risque de départ imminent vers la Syrie des deux amoureux qui venaient d'acheter deux billets aller-retour vers la Grèce. Lors des perquisitions menées dans l'appartement loué par S. pour échapper au carcan familial, les policiers de la GRC découvrent une feuille sur laquelle sont recopiés à la main le processus et les ingrédients nécessaires à la fabrication d'une bombe artisanale dissimulée dans une cocotte-minute, ainsi qu'une valise noire neuve remplie de vêtements féminins qui portent encore les étiquettes du magasin et deux reçus de Passeport Canada à leur nom respectif.

Tous ces événements qui se déroulent en toile de fond des comparutions d'Ali n'ont heureusement pour lui aucune incidence sur son dossier.

Lorsqu'ils se retrouvent entre eux, certains étudiants cherchent à comprendre pourquoi leurs copains sont partis et pourquoi deux autres sont désormais incarcérés en attente de leurs procès. Ils évoquent à mots couverts, de peur de trop attirer l'attention, ce mouvement djihadiste qui submerge déjà l'Europe. Un «phénomène social», aux dires d'un jeune étudiant, qui devient un sujet de discussion tabou. Après avoir longuement hésité, l'un d'eux écrit via Facebook à l'un des membres du groupe parti en janvier : «Pourquoi t'es parti ?» En guise de réponse, le jeune lui envoie le lien vers une des vidéos «19HH» d'Omar Omsen l'invitant à la regarder attentivement.

Cet échange via Facebook n'est pas sans risque. Plusieurs jeunes dont on soupçonne des liens avec des copains partis se retrouvent désormais à leur tour dans la mire des services de police et de renseignement. Les autorités cherchent à élucider comment ces sept étudiants modèles ont pu se radicaliser à l'extrême et, surtout, si un ou des «agents de radicalisation» ont tiré les ficelles en coulisse. Et, si oui, y a-t-il un lieu précis à Montréal qui a servi de creuset ? Une étudiante me raconte avoir été questionnée à plusieurs reprises par les policiers. Un épisode vécu comme du harcèlement : «Je recevais des appels sur mon téléphone même lorsque j'étais en cours : *C'est la GRC, on veut vous parler. On peut se voir quand ?* C'était pénible. Ils nous montraient des pages imprimées de captures d'écran Facebook avec des listes d'amis. Ils disaient : *Est-ce que tu le connais, lui ? Tu sais quoi sur elle ?* Ou alors posaient une pile de photos sur la table avec toujours les mêmes questions. »

Le constat est brutal : toute cette pression policière constante et visible, mais aussi médiatique, irrite mais ne freine en rien les ardeurs d'une dizaine de ces jeunes. Ironiquement, elle renforce peut-être même leur conviction que la seule échappatoire est le grand départ. D'autres vivent, au contraire, dans le déni. Il se sentent invincibles. Même si plusieurs prennent certaines précautions en choisissant des identifiants anonymes sur les réseaux sociaux et en naviguant via le wifi de lieux publics, ils se disent qu'il n'y a aucun risque que la police espionne leurs communications. Et que si leur modèle Mohamed, figure très connue déjà sur le radar des policiers, a réussi à partir en janvier, ce qui avait d'ailleurs provoqué un réel enthousiasme chez eux, alors ils n'auront aucune difficulté à marcher sur ses traces.

L'appel de la *hijra* est trop puissant.

Ces adolescents radicalisés se perçoivent aussi comme des soldats. Ils ont du culot. Ils n'ont, par exemple, rien à voir avec les criminels de la mafia qui, en général, auront tendance à s'effacer dès qu'ils sentent trop de chaleur, le temps que la pression policière retombe. Ils vont poursuivre leur projet malgré l'écoute et la surveillance. Les conséquences, que ce soit la prison au Canada ou la mort éventuelle sur le terrain, n'ont aucun impact sur leur comportement. La cause est au-dessus de toutes ces considérations, constate avec dépit un policier chevronné.

Au sein du groupe, on ne voyait pas la vie en rose, mais ces jeunes se motivaient en se disant qu'il était trop tard pour faire marche arrière. L'aspect politique, soit participer à la lutte pour le renversement du régime syrien de Bachar al-Assad, s'effaçait progressivement dans leur esprit devant la perspective fascinante de «participer à la création de quelque chose de nouveau : un État pour les musulmans».

« JE NE SUIS PAS UNE TERRORISTE »
15 MAI 2015

« La société occidentale ne comprend pas que nous ne sommes pas faits pour cette vie d'ici-bas… Si un morceau des terres musulmanes est touché, alors il est obligatoire de faire le djihad pour repousser l'ennemi… Ma place n'est pas dans un pays de mécréants… Je serai donc une mouhajira immigrante vers les pays de l'islam. »

L'auteure de ces quelques lignes évocatrices est une jeune fille… Une jeune fille studieuse, un peu timide, à qui l'avenir souriait au Canada. Elle les a griffonnées dans un petit journal intime qu'elle a ensuite glissé dans sa valise, avec une lettre d'adieu destinée à ses proches et une liste de produits cosmétiques, médicaments et vêtements à emporter tandis qu'elle en était à ses derniers préparatifs pour quitter le Canada en direction de la Syrie. Un projet qui germa dans sa tête à la fin de l'année 2014. Trois mois plus tard, en mars 2015, ce projet n'était plus une éventualité utopique mais une certitude. D'autant plus que ses parents avaient imposé leur veto à son mariage avec un jeune « frère ».

L'analyse du contenu de son cahier et de la lettre d'adieu permet de mieux comprendre les motivations religieuses profondes de ces jeunes et très jeunes aspirants au départ. La jeune fille explique que l'immigration vers un pays musulman, en particulier la Syrie où la charia est appliquée (sur le territoire administré par l'État Islamique, en fait), est une obligation en raison de la guerre déclarée par les pays de « mécréants » contre l'islam. Et qu'à force de côtoyer ces mêmes « mécréants », on adopte les mêmes habitudes de vie perverties. Et il y a aussi ce verset du Coran qui est clair, écrit-elle, en ce qui concerne le djihad. C'est pour toutes ces raisons qu'elle a décidé de renoncer à sa vie actuelle dans le *Dar El-Kufr* [terre des non-croyants] au profit d'une vie qu'elle sait difficile, loin du confort occidental, dans une terre de guerre.

Elle devine déjà que lorsque la nouvelle de son départ sera connue, sa famille racontera qu'elle a été manipulée et qu'elle a subi un lavage de cerveau. Tout cela est faux, assure-t-elle dans ses écrits. C'est un projet personnel, mûrement pensé en compagnie d'autres jeunes habités par ce même rêve. Et si jamais elle tombait en martyre, « Allah lui demandera quelles sont les personnes qu'elle aime afin de les faire entrer au paradis. »

Mais voilà, tout comme Ali, cette jeune fille n'a jamais pu quitter le Canada. Elle a été interceptée le soir du 15 mai 2015 par les policiers de la GRC avec sept autres jeunes étudiants de 16 à 19 ans, deux filles et cinq garçons, à l'aéroport de Montréal avant leur embarquement pour le vol TK36 à destination d'Istanbul. Chaque fille avait décidé de partir en couple par crainte d'être mariée de force, ou d'être victime de viol, à leur arrivée en Syrie.

À leur arrivée à l'aéroport, certains de ces jeunes étudiants sont assez nerveux. Ils croient voir des policiers et des agents du SCRS partout dans le hall des départs mêlés à la cohue des voyageurs qui s'entassent avec leurs chariots à bagages devant les guichets d'enregistrement. Des hallucinations qu'ils mettent sur le compte du stress et d'une paranoïa normale en pareille situation. Tous enregistrent leurs valises, passent les contrôles de sécurité sans tracas, font de derniers achats dans les boutiques hors taxes puis se dirigent vers la salle d'embarquement sans échanger un mot. L'ambiance est lourde.

Dans la nuit, derrière les grandes baies vitrées, l'Airbus A330-300 aux couleurs de Turkish Airlines en est à ses derniers préparatifs. Dans le cockpit, le commandant de bord et son adjoint se préparent au décollage. Les pales des réacteurs tournent au ralenti. Les derniers conteneurs à bagages sont en train d'être déchargés dans la soute de l'appareil. Plusieurs de ces gamins ont les yeux dans le vague. Ils essuient les quelques larmes qui coulent sur leurs visages. Cette fois-ci, c'est vrai. Ils se préparent mentalement à tout laisser derrière eux. « Aujourd'hui, c'est peut-être la dernière fois que je voyais ma mère », pense l'un d'eux. Pourtant, il est encore temps de renoncer à ce saut dans le vide. L'annonce pour l'embarquement les tire de leurs pensées. Il est 22 heures. Tandis qu'Ali dort dans sa chambre-cellule, le petit groupe se place dans la ligne de voyageurs avançant pas à pas vers le comptoir. L'un après l'autre, ils tendent leur carte d'embarquement à l'employée qui la glisse dans la machine. « Merci, bon voyage »… Ils s'engagent dans le couloir qui mène vers l'avion, mais ils n'iront pas bien loin. À peine ont-ils parcouru quelques mètres qu'ils butent sur un cordon d'agents en uniforme qui leur demandent leurs passeports puis les conduisent sous bonne garde dans une pièce où les attendent une dizaine d'agents de la GRC. Voilà, c'est fini. Ils sont tombés dans un guet-apens. L'aventure s'achève abruptement. Mais, étrangement, on ne perçoit ni déception ni panique chez eux. Un jeune de leur âge aurait tendance à s'effondrer devant une situation bien moins grave. Là, non. Et c'est ce qui est sidérant. Peut-être étaient-ils encore sur l'adrénaline.

Sans tarder, on les fait monter dans des véhicules et on les conduit séparément dans plusieurs postes de police pour être interrogés. Certains ont demandé à parler à un avocat qui les a avertis de prendre garde aux ruses classiques des policiers pour les faire craquer : « Ils vont vous faire croire que vos parents sont au courant et dévastés, que les autres ont avoué… »

La version officielle raconte – théorie qui ne fait pas l'unanimité au sein du groupe – que ce gros coup de filet a été réalisé in extremis grâce à des « tuyaux » de dernière minute provenant de parents. L'un d'eux avait signalé aux policiers que son fils avait quitté le domicile familial avec des vêtements dans un sac de sport, prétextant aller passer la nuit chez un copain. Son passeport avait aussi disparu.

Jusque-là, le parcours de ces jeunes était sans faute. Ils avaient réussi à faire leurs préparatifs à l'insu de leurs familles et amis. Et, croyaient-ils aussi, des services de police et de renseignement lancés depuis plusieurs semaines dans une vaste traque aux jeunes aspirants djihadistes. Selon les enquêteurs, ils auraient scrupuleusement suivi les conseils logistiques d'un mystérieux individu à Montréal. La destination finale officielle était Milan, et non Istanbul, afin de ne pas éveiller des soupçons, croient les policiers. Leurs billets aller-retour avaient été réservés les jours précédents dans plusieurs agences de voyages et payés comptant ou avec des cartes de crédit. Un des mineurs avait donné comme prétexte à ses parents un voyage en bus à New York pour qu'ils lui rédigent une lettre de consentement de sortie du territoire. Ceux-ci l'avaient tellement cru qu'ils avaient eux-mêmes réservé et payé le billet d'autobus et un hôtel pour leur jeune garçon. Durant leur interrogatoire, certains de ces jeunes jurent mordicus aux enquêteurs que leur projet était vraiment de se rendre dans la cité italienne pour du tourisme – et même pour un voyage de noces pour deux d'entre eux âgés de 19 ans – après une courte escale prévue en Turquie. Une autre justifie le transit à Istanbul plutôt qu'à Paris afin d'éviter d'être fouillée « comme un chien ».

Plus ils sont interrogés, plus certains s'empêtrent dans leurs contradictions. Mais ils ne craquent pas. « Je ne suis pas une terroriste », s'insurge l'une des filles. « Le silence est d'or et la parole est d'argent », réplique un autre lorsqu'il est confronté aux déclarations de ses parents par un policier. Seul l'un d'eux « admet » du bout des lèvres avoir eu l'intention de partir pour la Syrie avant de changer sa version des faits et d'évoquer lui aussi un séjour en Italie. Entre-temps, il raconte avoir été « endoctriné » par une connaissance qui l'avait incité depuis un an à regarder des vidéos « pas très violentes » destinées à mobiliser des volontaires pour « sauver leurs frères musulmans ».

Des proches confient alors aux enquêteurs les changements de comportement troublants qu'ils avaient constatés pendant un court laps de temps chez certains de ces jeunes. Plusieurs garçons avaient, par exemple, coupé tout contact avec les filles de leur entourage, d'autres tenaient des propos qualifiés de plus en plus « radicaux », y compris avec leurs parents avec qui les discussions devenaient de plus en plus houleuses. Un jeune garçon mentionne d'ailleurs aux policiers s'être disputé avec son père et confie qu'il veut quitter le domicile familial parce qu'il s'y sent « étouffé ». Un autre s'était reclus dans sa chambre la semaine précédant le grand jour du départ. On nota aussi chez plusieurs une attitude plus réservée, une tendance à sécher les cours avec comme conséquence inéluctable des résultats scolaires en baisse.

Autant de jeunes apparemment déterminés, selon les policiers, à s'élancer ainsi ensemble, si l'on ajoute les sept partis quatre mois plus tôt sur le chemin du djihad et une troisième vague qui semblait se préparer, le tout en seulement quelques mois. Du jamais vu au Canada et probablement en Occident.

Deux autres jeunes, des copains de quartier – Yassine, 17 ans, et Mehdi, 18 ans à peine [prénoms fictifs] –, sont arrêtés chez eux par la police la même journée, interrogés pendant de longues heures au cours de la nuit puis relâchés eux aussi sans accusation le lendemain matin. Ce qui porte à dix le nombre d'interpellations. Toutefois, leurs cas assez nébuleux semblent à première vue différents de ceux et celles arrêtés à l'aéroport. Les parents de Yassine avaient reçu deux jours auparavant la visite d'agents du SCRS à la suite, croient-ils, d'un signalement de la direction de son école secondaire. Ils voulaient parler avec eux de leurs «préoccupations» concernant leur enfant. Le jeune étudiant passionné par le dessin et l'architecture gréco-romaine avait suscité des inquiétudes, y compris au sein de sa famille, en réclamant 150 $ pour contribuer au financement d'un projet de voyage scolaire en Grèce qui s'est avéré imaginaire. Autre fait troublant, il venait d'être surpris par son grand frère dans une agence de voyages en compagnie de Mehdi, alors que les deux se renseignaient sur le coût d'un billet pour Rome. En tendant l'oreille, l'aîné avait entendu que l'une des options discutées par Yassine et Mehdi les faisait transiter au préalable par Istanbul... Montréal-Istanbul-Rome n'est pas vraiment le trajet le plus direct. Il revint penaud à la maison et éclata en sanglots: «J'ai mal, papa, je souffre, je me sens seul, j'ai besoin de parler, j'ai besoin que tu m'écoutes», se souvient son père. Yassine expliqua d'abord que ce voyage, qu'il rêvait de faire avec son copain Mehdi, était pour lui l'occasion de se changer les idées après une peine d'amour récente qui survenait après une relation de trois ans. Cette douleur se superposait à un mal-être, le sentiment d'être «incompris, inconsidéré et délaissé» par ses parents et la plupart de ses amis. Monsieur B., son père, songea à cette époque où lui aussi était adolescent et, comme tous les adolescents, «naïf, fougueux et irresponsable». Et de toute façon, comment Yassine aurait-il pu quitter le Canada, lui qui n'a ni argent et, surtout, ni passeport à portée de la main? «Son passeport était dans mon coffret de sûreté», assure son père. Le seul voyage qui se profilait à l'horizon était celui promis par ses parents à la fin de son secondaire. Un voyage post-graduation qui serait sévèrement encadré par ces parents-poules.

Un an et demi plus tard, je rencontre le père de Yassine dans un café. Plus je l'écoute et plus je l'observe, plus il me fait penser au père d'Ali. Cette même stature, ce même fardeau que ses épaules et son dos semblent porter avec difficulté. Cette même histoire d'immigration au Québec afin d'offrir un meilleur avenir à ses enfants. Cette même douleur qui l'assaille et qu'il tente de circonscrire. Ce quinquagénaire hyper volubile devient vite émotif lorsque mes questions l'obligent à se replonger dans cet épisode cauchemardesque. Il soulève légèrement sa casquette de la main gauche le temps de passer furtivement la main droite sur son front dégarni. Tout a commencé, selon ce que son fils lui a confessé, ce 13 mai 2015 après sa récente rupture amoureuse. Yassine décide de s'ouvrir un compte Instagram qu'il laisse accessible à tous. Il y partage des photos de nature, des citations et des poèmes. C'est sa façon à lui de briser sa solitude, dit-il. De se bâtir un autre réseau social, virtuel, au sein duquel il va se sentir écouté et retrouver une certaine estime de lui-même. Ses statuts auraient alors rapidement suscité l'intérêt d'un mystérieux abonné qui aurait invité le jeune Yassine à converser en privé avec lui. Toujours selon ce que l'ado relate, l'interlocuteur en question, qui change souvent d'identifiant et crée sans cesse un nouveau compte, le flatte et fait preuve d'empathie devant ses tourments. Yassine est comme hypnotisé. Ensuite, c'est l'escalade. Il l'invite à regarder sur YouTube les vidéos de la série «19HH» du djihadiste Omar Omsen. Il suggère aussi à Yassine de fermer son compte Instagram et de programmer une escale en Grèce lors de son prochain voyage afin qu'ils puissent se rencontrer. Et il lui conseille de ne pas tenir compte de l'avis de ses parents, des «êtres éphémères» résidant dans un «pays de mécréants».

Les agents de renseignement ont rencontré Yassine chez lui à deux reprises les 13 et 14 mai en compagnie de ses parents. Ils ont épluché tout le contenu de son iPhone et discuté de longues heures. Impossible néanmoins techniquement de retrouver les échanges en question qui auraient pu prouver ses explications. Yassine n'a pas pensé non plus à faire des captures d'écran. Vu de l'extérieur, le doute subsiste même si l'existence de recruteurs qui écument les réseaux sociaux à la recherche de jeunes cibles est un phénomène bien connu.

Le rôle joué par Mehdi dans ce duo est aussi nébuleux. Voulait-il embarquer Yassine dans sa galère? La question se pose. Lui qui achètera quand même le soir où Yassine et ses parents étaient rencontrés par le SCRS un billet d'avion pour Milan, en Italie, via la Turquie sur le site Internet de Turkish Airlines. Billet qu'il annulera moins de 24 heures plus tard. Le départ était prévu pour le 15 mai, la même date que celle du groupe des huit… Le père de Mehdi aurait révélé aux policiers que son fils lui avait déjà montré des vidéos de combattants incitant au djihad. Son intention était de se rendre dans le nord-ouest de la Syrie pour combattre après avoir été pris en charge par un passeur dans la ville turque proche de la frontière.

Les parents de Yassine, qui avaient décidé dès le départ de collaborer avec le SCRS puis la GRC avec l'espoir de voir ce mystérieux recruteur sur Instagram dont ils sont convaincus de l'existence être identifié et neutralisé, sont amers. Leur jeune garçon a été arrêté à leur domicile, embarqué dans une auto de police banalisée, mais devant une nuée de caméras et sous les yeux ébahis des voisins, puis détenu et interrogé pendant plusieurs heures au quartier général de la section antiterroriste. Le père, les larmes aux yeux, évoque l'humiliation. Et il y a cette image qui le hante, celle de sa femme en détresse en voyant son fils s'éloigner les menottes aux poignets. Ensuite, il y a cette perquisition chez eux tout aussi médiatisée, à 7 heures du matin quelques jours plus tard, afin de saisir le téléphone portable et le passeport canadien de Yassine ainsi que l'ordinateur potable de son père. Les domiciles des familles des autres jeunes seront également visités le même jour par de nombreux enquêteurs. Certains parents vécurent mal ces incursions faites à l'aube qui les ont traumatisés. Le souvenir de ces réveils soudains, des enfants paniqués à la vue de ces policiers, des ordinateurs, tablettes, consoles de jeu et téléphones emportés n'est pas près de s'effacer. Même si les enquêteurs ont agi ce jour-là avec empathie et courtoisie.

Le père de Yassine se bat aujourd'hui avec l'énergie du désespoir contre ce qu'il juge toujours être une « arrestation injuste et arbitraire ». Il veut comprendre ce qui a pu se passer. Pourquoi son fils est-il devenu suspect alors qu'il le considère victime ? Pourquoi, deux ans plus tard, le jeune garçon, qui a un passeport valide, n'a-t-il pu monter dans un avion avec ses parents pour profiter de quelques semaines de vacances en famille dans leur ville natale au Maghreb ? Le regard désolé d'une responsable de la compagnie aérienne qui leur tend une lettre type qui débute par ces mots :

Chère madame, cher monsieur. Nous n'avons pu confirmer votre embarquement sur le vol [...]. Malgré le fait que vous soyez en possession d'une réservation et d'un billet valides pour ce vol, votre embarquement n'a pu se réaliser

parce que le vol que vous avez réservé survole
en partie le territoire des États-Unis d'Amérique (y compris ses eaux territoriales). Si
vous souhaitez de plus amples informations,
nous vous recommandons de contacter…

C'est la déception pour Yassine, contraint de devoir
rentrer seul à la maison, défaire sa valise, tenter d'expliquer l'inexplicable aux copains :

– Ben alors, Yassine, qu'est-ce que tu fous là, t'es pas
parti ?

Eh non ! Yassine n'est pas parti. Le retour aux sources,
la quête de ses racines dans un pays quitté alors qu'il
n'était qu'un bébé, la contemplation de la lune qui illu-
mine la baie d'Oran « la radieuse » la nuit venue, la visite
de la ville qui a vu naître Albert Camus, ce sera pour
une autre fois. Peut-être. Pour le moment, Yassine est
prisonnier au Canada. Privé pour des raisons obscures
par un pays tiers de son envol vers d'autres horizons.

Les enquêtes policières, à fortiori celles dans le monde
de la sécurité nationale, demeurent secrètes jusqu'à leur
dénouement éventuel. Les policiers avaient peut-être de
bonnes raisons que ce père ignore de soupçonner son fils
et son copain. La pression politique, médiatique et du public était énorme aussi à cette époque sur les forces policières et du renseignement depuis les départs réussis d'au
moins une douzaine de jeunes vers la Syrie en quelques
mois à peine. Ces agents savaient qu'ils n'avaient pas
droit à l'erreur. Aucune autre jeune fille, aucun autre

jeune garçon ne devait plus pouvoir passer entre les mailles du filet. Au moindre doute, à la moindre alerte, ils devaient agir sans tarder. Un jeune qui réussissait à monter dans un avion vers le Moyen-Orient était un jeune que l'on pouvait considérer comme perdu à jamais.

Mais la famille de Yassine, comme la plupart des autres entraînées dans le même cauchemar, doit continuer à vivre prise dans un étau, coincée entre les regards suspicieux des voisins, la cruelle étiquette de «parents de terroristes» collée sur le front des pères et mères confrontés à cette situation et, à l'extrême, à des accusations virulentes de collaboration avec les autorités lancées par certains membres de la communauté.

« BONJOUR JEUNE HOMME »
8 SEPTEMBRE 2015

Il est 9 h 25 en ce matin du 8 septembre 2015. La vingtaine de journalistes qui font le pied de grue dans le couloir du premier étage de la Chambre de la jeunesse de la Cour du Québec pour le premier jour du procès d'Ali ont les yeux rivés sur le constable spécial qui se prépare à ouvrir la porte de la salle numéro 1.01. Le décor de cette grande pièce sans fenêtre est tristement sobre. Les seules fantaisies que se permirent les architectes dans cet environnement blanc et beige fade, éclairé artificiellement, sont ces panneaux carrés en bois ou en faux bois de couleur acajou sur l'un des murs et une moquette verte aux motifs de losanges orange saumon sur laquelle sont fixées quatre rangées de chaises comme celles des salles d'attente des médecins.

Les habitués savent qu'il vaut mieux ne pas traîner pour être certain d'être assis aux premières loges. La justice est publique, mais les places réservées à l'assistance, médias inclus, sont rares dans les salles des tribunaux.

Un long *bip* retentit.

Chaque audience est précédée d'un rituel immuable. Un protocole et un décorum à certains égards surannés qui régissent encore la vie d'un palais de justice. « Veuillez vous lever. L'audience devant l'honorable juge Dominique Wilhemy de la Chambre de la jeunesse va débuter. Veuillez éteindre vos téléphones », annonce l'huissière sur un ton solennel.

La juge fait son entrée d'un pas décidé par une porte sécurisée située en arrière tout en balayant la salle du regard. Elle s'assied à son bureau placé sur une estrade légèrement surélevée. L'huissière attend cet instant précis pour inviter l'assistance à s'asseoir puis à remplir d'eau fraîche le verre de la juge avec une carafe en plastique brun. Ce procès de terrorisme impliquant un mineur est aussi une première pour cette avocate de formation qui a été nommée juge à la Chambre de la jeunesse de la Cour du Québec, il y a une quinzaine d'années, après une carrière dans un cabinet privé puis au sein d'organismes gouvernementaux. Une première aussi pour cette cour qui, en temps normal, sanctionne des petits délinquants, des membres de gangs de rue, règle des dossiers d'adoption, ordonne le placement d'enfants négligés ou maltraités en famille d'accueil ou dans un centre jeunesse. Le jeune Ali n'est rien de tout ça. Il n'est ni un petit malfrat ni un enfant martyrisé. Sa famille n'est pas dysfonctionnelle.

La table réservée aux deux avocats de la défense, Me Sébastien Brousseau et Me Tiago Murias, est placée à la droite du bureau de la juge, à environ un mètre en avant du box des accusés, ce qui leur permet d'échanger quelques mots avec leur jeune client. Tiago Murias est un jeune juriste un brin hyperactif aux cheveux noirs savamment ébouriffés et petites lunettes. Un genre de *nerd* volubile, un guérillero des mots sympathique et passionné au service de jeunes malmenés par la vie. Ali est aussi son premier jeune client dans la sphère du terrorisme. Il a décidé de le défendre par intérêt professionnel en raison de son importance du point de vue juridique, mais aussi par intérêt personnel pour ce phénomène « terroriste » contemporain qui attire tant de jeunes. À sa gauche, devant eux, la table de la Couronne fédérale représentée par Me Marie-Ève Moore et Me Lyne Décarie, la spécialiste des dossiers de sécurité nationale. Me Décarie est une avocate émérite, méticuleuse et aux plaidoiries acérées qui cumule les succès en cour que ce soit face à un officier de la marine canadienne devenu une taupe à la solde des Russes ou bien dans des procédures de nature terroriste.

Le jeune Ali fait son entrée en tenue de sport noire dans le box des accusés encadré par deux agents correctionnels. Ce procès est une épreuve qu'il appréhende depuis des semaines. Il s'assied calmement sur sa chaise, le dos appuyé sur le mur. «Bonjour jeune homme», lui lance la juge sur un ton que l'on perçoit empreint de douceur et de compassion. Celui que pourrait adopter une mère devant un jeune garçon qui pourrait être son fils. Ali, impassible, ne répond pas à ce petit mot de bienvenue de la juge. Pas un regard vers elle, ni un sourire. Ali est ailleurs. Dans sa bulle, comme ce sera le cas chaque matin lorsque la juge lui adressera ce même «Bonjour jeune homme», sans jamais afficher la moindre impatience et exaspération devant ce mutisme obstiné.

Le premier témoin appelé à la barre est l'un des policiers de Montréal qui ont arrêté Ali à son école, le 17 octobre 2014, et l'ont conduit au Centre opérationnel Ouest. Un an plus tard, le policier en question semble encore frappé par la détermination affichée par l'étudiant : «Généralement, les jeunes que l'on arrête pour un crime sérieux se mettent à pleurer. Ils craignent la réaction de leurs parents. Pas lui. Au contraire, il est demeuré très calme. Je me suis dit : soit il a déjà commis plusieurs autres crimes, soit c'est un professionnel. » Son collègue dira ensuite avoir constaté cette même attitude étonnamment «calme» lorsqu'il a mentionné à Ali au début de son interrogatoire qu'il était suspecté non seulement pour vol à la pointe d'un couteau, mais aussi, plus grave, pour une infraction de nature terroriste. L'enquêteur du Service de police de la Ville de Montréal avait ensuite pris le temps d'expliquer à Ali en termes simples la signification de l'article 83.181 du Code criminel qui pendait comme une épée de Damoclès au-dessus de sa tête.

– Donc tu comprends ça ? avait lancé le policier à la fin de sa séance de vulgarisation du Code criminel.

– Ouais, lui avait répondu Ali.

– Qu'est-ce que tu comprends dans tout ce que j'ai mentionné ?

– Que je suis suspect de… de… d'avoir tenté de quitter le Canada pour rejoindre un groupe terroriste […] et que c'est, que… euh… d'avoir essayé d'aider d'une quelconque façon ce groupe terroriste.

Ali avait ensuite indiqué à l'enquêteur que tout était clair dans son esprit et qu'il n'avait pas de questions qui lui venaient en tête.

L'un des autres témoins de la Couronne est un gendarme de la GRC. Ce grand gaillard qui travaille au sein de la division chargée de la sécurité nationale à Montréal décrit au tribunal comment s'est déroulée sa première rencontre avec Ali. Nous sommes toujours le 17 octobre 2014. Ali est détenu et questionné par l'enquêteur de la police de Montréal depuis une heure.

– J'ai été invité à participer à l'entrevue vers 20 h 30. Je suis entré dans la salle, me suis assis face à lui. Je lui ai expliqué que je travaillais à la section sécurité nationale. Il était calme, tranquille. Il bougeait parfois la tête. Parfois il répondait à mes questions, parfois il ne répondait pas. Certains sujets semblaient le passionner plus que d'autres. […] À un moment, il est devenu plus agité et a tenté de quitter la salle.

Le gendarme relate ensuite que le jeune Ali et lui ont discuté de religion. Discussion qui a viré au choc frontal autour de leur vision respective de l'islam avant de s'achever devant le refus obstiné du jeune Ali de poursuivre la conversation. Rien d'étonnant. Confronter ces individus sur l'idéologie lors d'un interrogatoire ne sert à rien, constate-t-on au sein du corps policier.

Ce bref témoignage du policier de la GRC sert de préambule à la diffusion sur les écrans de télévision de la salle de la cour de la vidéo enregistrée le 17 octobre au soir, entre 19 h 18 et 22 h 46 précises, lors de cet interrogatoire intense et fascinant. Le tribunal et les journalistes peuvent ainsi constater de visu à quel point Ali était à ce moment-là en parfaite maîtrise de lui-même, déterminé, pugnace, à certains moments d'une incroyable froideur.

Un autre témoin de la GRC, décrit comme un expert en salafisme djihadiste, avait pour objectif, lui, de replacer les choses dans leur contexte. Il a également tenté d'éclairer le tribunal sur les points communs et divergences entre les groupes Al-Qaïda et État Islamique, considérations qui échappent au commun des mortels. Il s'est aussi lancé dans un cours en accéléré du *modus operandi* de la propagande djihadiste, prélude au recrutement et à l'engagement de jeunes comme Ali pour cette cause.

— Dans des vidéos de l'État Islamique, les jeunes qui sont impressionnables voient des victoires, ils voient que le monde se bat contre l'EI et que, pourtant, ces derniers gagnent. Pour ces jeunes, c'est impressionnant. C'est plus que de la propagande, ça vous touche en plein cœur. Dans leurs vidéos très bien conçues, ils montrent des enfants décapités, des femmes décédées, des gens brûlés. Les jeunes sont impressionnés. Ils se sentent interpellés et dans l'obligation d'aller défendre leurs frères musulmans.

Ceux qui espéraient que ce procès serait l'occasion d'entendre des témoignages de proches de l'accusé qui auraient permis de mieux comprendre et de décortiquer le processus qui a broyé le jeune Ali sont repartis déçus. Ali non plus n'a jamais pris la parole pour sa défense. Il n'a jamais été interrogé. Ainsi est fait le système judiciaire canadien. Son père, en revanche, s'exprimera brièvement pour raconter avec émotion que sa famille et lui avaient immigré au Québec en 2003, que c'était lui qui avait dénoncé son fils à la police et combien il était désemparé lors de cette fameuse soirée du 17 octobre 2014 de savoir son fils affronter seul les questions des enquêteurs entre les quatre murs d'un poste de police.

Au cours de sa plaidoirie, Me Murias sort une carte de sa manche : celle de l'enfant soldat. Hormis le fait que rien ne prouve qu'Ali voulait aller combattre en Syrie même s'il se sentait interpellé par la « souffrance des musulmans », il doit être vu comme une victime et non comme un criminel potentiel, martèle l'avocat.

— Personne ne va considérer un enfant soldat africain, au Congo par exemple, comme un terroriste, plaide-t-il avec fougue debout derrière sa table. Que ce soit en Syrie ou au Congo, on parle d'enfants recrutés par des groupes armés dans un conflit armé. Pourquoi n'auraient-ils pas tous le droit à la même protection ?

Cette défense a aussi été utilisée en France lors d'un procès contre deux jeunes djihadistes de 15 et 16 ans ayant effectué un bref séjour en Syrie, en 2014, dans une brigade djihadiste de la mouvance d'Al-Qaïda. Elle a été rejetée de la même façon par la justice française qu'elle le sera dans le cas d'Ali. Presque deux ans plus tard, Me Murias n'en démord pas : son jeune client était vraiment un enfant soldat du XXIe siècle. Il exprime sa déception de voir ainsi bafouées les conventions internationales :

— Ce sont des considérations politiques qui dictent qui est un groupe terroriste et qui ne l'est pas. Une civilisation ne peut pas exister si on ne protège pas les mineurs enrôlés avec ou contre leur gré dans des conflits qu'ils soient conventionnels ou non conventionnels.

Dans un procès pour terrorisme à Montréal, les membres du tribunal ont pu visionner une vidéo stupéfiante dans laquelle on voit le très jeune fils de l'accusé incité à manipuler une arme de poing.

— Prends, prends l'arme, prends l'arme… insiste sa jeune mère québécoise.

Son pauvre bambin entraîné dans cette galère par ses parents est âgé d'à peine cinq ans, mais il est déjà vêtu d'une tenue militaire de camouflage couleur sable à sa taille. Sandales aux pieds, il rit puis se penche et attrape l'arme de poing qui traîne au sol au milieu de gravats dans un lieu non identifié, mais probablement en Syrie.

Les « lionceaux du califat », c'est ainsi que l'État Islamique surnomme ses plus jeunes recrues. Le groupe recrute et forme des enfants soldats qu'il glorifie dans les films et les écrits de propagande. On les voit en train de subir leur entraînement militaire comme des adultes. Et même, dans des cas extrêmes, lorsqu'ils ont atteint l'âge de l'adolescence, périr au volant d'un véhicule bourré d'explosifs lancé à toute vitesse contre une position de l'armée irakienne à Mossoul, ou agir comme des bourreaux exécutant avec une sauvagerie incroyable des prisonniers avec un couteau ou une arme de poing.

Assiste-t-on vraiment à la gestation d'une seconde génération de djihadistes ou s'agit-il d'une menace volontairement exagérée tant par le groupe djihadiste que par les autorités pour frapper l'imaginaire ? Chose certaine, instiller cette sauvagerie à ces jeunes garçons va représenter un sacré défi pour leur réinsertion ultérieure éventuelle.

LE JUGEMENT
17 DÉCEMBRE 2015

Lorsque la juge achève la lecture de son jugement de 44 pages, Ali devient officiellement le deuxième Canadien mineur – et le plus jeune – à être reconnu coupable de terrorisme en dix ans. Le premier, qui avait 17 ans au moment des faits, avait été arrêté presque dix ans auparavant par la police fédérale en Ontario lors du démantèlement d'une cellule terroriste surnommée les « 18 de Toronto ». L'enquête policière démontra que les membres de ce groupuscule avaient eu l'intention de faire sauter des bombes, notamment devant la Bourse et les bureaux du SCRS à Toronto. Ils avaient aussi envisagé de prendre d'assaut le parlement, de prendre des otages et d'assassiner le premier ministre. Des projets fous qui n'ont rien à voir avec les faits reprochés à Ali. À la même époque, au milieu des années 2000, les principaux fronts du djihad faisaient rage dans le sud de l'Afghanistan, dans une moindre mesure en Somalie et, surtout, en Irak dans la foulée de l'intervention militaire américaine de 2003. Ces insurrections mobilisaient déjà des combattants occidentaux, mais l'ampleur du phénomène n'avait rien de comparable avec cette vague déferlante de milliers d'individus qui submergeaient la Syrie et l'Irak depuis 2012-2013 et qui impliquait, plus les années s'écoulaient, des individus de plus en plus jeunes, garçons et filles. Une mobilisation de volontaires venus de tous les coins de la planète qui rappelait celle de la guerre d'Espagne, à la fin des années 1930, avec ses Brigades internationales engagées contre les troupes fascistes du général Franco.

Quelques mois après Ali, un autre adolescent canadien, un converti âgé de 17 ans, fut reconnu coupable d'une infraction de nature terroriste au Manitoba. Jusqu'à son arrestation, en novembre 2015, ce jeune était aussi très actif sur les réseaux sociaux. Il faisait la promotion du groupe État Islamique sur différents comptes Twitter et incitait son auditoire à commettre un acte terroriste. Et, tout comme Ali, il caressait le rêve de rejoindre le territoire de l'État Islamique. Mais son projet relevait plus de la bravade théorique et de l'enflure verbale d'un adolescent que d'un plan mûri avec des gestes concrets à la clé. La situation est devenue plus préoccupante en Europe.

Les cas de mineurs impliqués dans des affaires terroristes ont connu une croissance exponentielle. Au moment d'écrire cet ouvrage, une cinquantaine de Français d'âge mineur, dont une quinzaine de filles, étaient accusés de terrorisme. Le premier procès du genre était celui de deux jeunes de 15 et 16 ans qui avaient réussi à se rendre en Syrie, en janvier 2014. Le plus jeune, Akim, avait, à l'instar d'Ali, subtilisé le numéro de la carte de crédit de son père pour acheter deux billets d'avion pour Istanbul.

Les deux adolescents ont séjourné moins d'un mois au sein d'une brigade djihadiste dans le giron d'Al-Qaïda et dirigée par un recruteur français avant de faire marche arrière vers la Turquie et d'être contraints de rentrer en France.

Lors de leur procès, en 2016, ils écopèrent six mois de prison avec sursis pour cette escapade en zone de guerre que le tribunal qualifia d'« erreur de parcours ». Mais, deux mois plus tard, l'aîné de ce duo s'était à nouveau volatilisé. Policiers et proches avaient perdu sa trace en Bulgarie, puis en Turquie.

APPÂT POUR GROS POISSONS ?
6 AVRIL 2016

C'est une journée décisive pour Ali. Celle où il va être fixé sur son sort. Pour la seconde fois. Début janvier, il a déjà été condamné à une peine de 12 mois de garde fermée pour l'accusation de vol qualifié. Une accusation dont il avait reconnu sa culpabilité dès le début des procédures. Et oh! surprise! ce jour-là, pour la première fois depuis des mois, il avait esquissé un sourire lorsque la juge, fidèle à son habitude, s'était adressée à lui avec son «Bonjour jeune homme». Un sourire fugace qui n'était pas passé inaperçu. Voulait-il l'amadouer avant que celle-ci décide de la peine qu'elle allait lui infliger ou était-ce l'indice discret d'une métamorphose tranquille de son comportement?

Ce mercredi 6 avril, la vraie sentence va tomber. Celle pour l'accusation de terrorisme. La plus grave. Lorsque la procureure de la Couronne prend la parole, elle confie avoir évidemment cherché de la jurisprudence au Canada et une cause semblable dans le monde, mais ne pas en avoir trouvé. En entendant ces mots, la magistrate attrape son verre, avale une grande gorgée d'eau fraîche et retient son souffle. La cause d'Ali était déjà très exigeante. La pression devient encore plus forte maintenant que le temps est venu de décider de la peine à infliger à son «jeune homme» pour ce projet de voyage un peu fou. Elle sait que sa décision sera scrutée et analysée sous toutes ses coutures. Elle sera peut-être contestée. Et elle servira de point de repère, de jurisprudence, pour les causes similaires futures. Le sort d'Ali repose sur sa conviction forgée à l'issue des deux semaines de procès et sur les quatre rapports d'évaluation préparés par une batterie d'experts – psychiatre, criminologue, psychologue et le Centre montréalais de prévention de la radicalisation menant à la violence. La tendance qui se dégage est que l'adolescent est en bonne voie de réhabilitation. Ali semble ressentir de la «honte» et la crainte d'avoir gâché sa vie. Il a perdu de son impulsivité qui provoquait parfois des frictions avec les autres colocataires de son unité au centre jeunesse.

Le père d'Ali, qui écoute bras croisés et tête inclinée vers le sol, se lève de son siège et s'avance d'un pas lent à la barre des témoins. Il livre un témoignage bref, mais émouvant. Un ultime plaidoyer venu du plus profond de ses tripes. Quelques mots qui semblent lui pomper le peu d'énergie qui subsiste en lui: «Mon fils est un adolescent et c'est encore un adolescent. Les gens qui l'ont endoctriné étaient rusés, malins et ont profité de son immaturité pour lui faire faire ce qu'il a fait», dit-il la tête légèrement penchée vers le fin micro noir qui capte ses propos.

Finalement, Ali est condamné à 16 mois de garde fermée, huit mois dans la collectivité plus une année en probation. C'est le maximum prévu légalement pour un adolescent. Une lourde peine assortie d'une kyrielle de conditions : pas de passeport, pas de téléphone portable, usage restreint de son ordinateur, aucun lien avec des individus gravitant dans la mouvance terroriste et pas de réseaux sociaux pendant quatre ans ! Il doit aussi continuer à rencontrer un imam ou un théologien. Et ne pourra pas, comme il le souhaitait, étudier les maths au collège de Maisonneuve compte tenu des départs et tentatives de départ vers la Syrie de plusieurs jeunes du collège au cours de l'année 2015. Le jeune écoute, tête baissée, la juge. Il hoche la tête de temps en temps, signe qu'il est attentif à ses explications. Son avenir est moins sombre depuis que la poursuite fédérale a abandonné l'idée de réclamer une peine pour adulte. Et personne ne connaîtra jamais sa vraie identité. Un atout essentiel pour sa réinsertion : Ali pourra se promener dans la rue, s'asseoir dans le métro, aller dans un magasin sans être dévisagé. Plus tard, il pourra chercher un emploi sans courir le risque que son histoire soit découverte lors d'une simple recherche sur Google.

Ainsi prenait fin la première partie de la tragédie vécue par cette famille. Celle publique. Désormais l'action allait se dérouler en privé, loin des regards des médias. Finies ces journées qui débutaient et finissaient par des articles de journaux et des reportages à la télévision et à la radio résumant les dernières péripéties judiciaires de leur fils. Terminées ces entrées et sorties à la sauvette de la salle d'audience, le dos plié et le visage caché. Cette honte mais aussi cette peine légitime qui occultaient le soulagement d'avoir vu leur fils stoppé net dans sa folle course et de le savoir désormais bien entouré. Mais trop tard. Les parents d'Ali sont amers. Ils en veulent quand même aussi un peu aux services de police et de renseignement. En effet, ils n'arrivent pas à chasser de leur esprit l'hypothèse sordide que leur fils ait pu servir de petit appât à leur insu pour de plus gros poissons. Tous les signaux étaient au rouge depuis des mois, mais le système n'a pas pu empêcher leur garçon de sombrer lentement. Était-ce dans l'espoir qu'il entre en contact avec des individus présentant un plus grand intérêt pour les autorités policières? Si tel était le plan, il n'a pas fonctionné.

Ali n'était qu'un petit soldat immature de la «cause» qui évoluait dans sa bulle en marge de la mouvance extrémiste locale malgré ses contacts avec Martin Couture-Rouleau ou Sami, en Syrie. Les parents de jeunes radicalisés ne présentant pas de risque imminent pour la société semblent condamnés à vivre des situations difficiles. Ils sont écartelés entre deux scénarios extrêmes insoutenables. Le risque qu'une peine à perpétuité soit infligée à leur enfant ou, s'il n'est pas arrêté, qu'il réussisse à quitter le pays et se volatilise dans une terre de djihad. Et qu'un jour, ils apprennent sa mort ou, pire encore, le voient réapparaître dans le rôle du bourreau, poignard ou arme à la main, sur une vidéo de propagande d'un groupe terroriste.

Ces parents rêvent à une troisième voie qui amenuiserait leurs réticences à dénoncer leur enfant.

Malgré tout, le sort d'Ali et de ses proches à cet instant est plus enviable que celui de la famille de Martin Couture-Rouleau dont la vie s'est achevée brutalement dans le sang, au bord d'une route.

Je repense aussi encore au père d'Aaron Driver, un jeune Canadien de 24 ans sympathisant avéré de l'État Islamique abattu en août 2016 par la police ontarienne alors qu'il s'en allait selon toute vraisemblance poser une bombe artisanale dans un lieu public. Lors d'entrevues accordées aux médias, cet homme semblait à la fois tiraillé par la douleur légitime d'avoir perdu à jamais son fils et soulagé qu'il ait été tué avant qu'il commette un acte terroriste meurtrier. « Notre pire cauchemar s'est réalisé. Aaron ne leur a pas laissé d'autre choix. » Terrible constat. Orphelin de mère, Aaron Driver s'était converti à l'adolescence avant d'adopter des idées extrémistes au moment où il traversait une mauvaise passe. Il s'était replié sur lui-même et refusait toute aide. Il s'enfonçait. La violence suintait de ses écrits sur les réseaux sociaux et de ses propos. Mais le système est ainsi fait – ce que son père déplorait – que les autorités n'aient disposé d'aucun recours pour le prendre en charge et le protéger contre lui-même avant qu'il périsse criblé de balles.

Juste avant de lever la séance et de quitter la salle, la juge Wilhemy s'est tournée vers Ali pour lui livrer un dernier message apaisant et surtout encourageant:

Nous ne pouvons pas prédire l'avenir, je vous souhaite bonne chance. J'espère que votre décision de modifier votre perception des choses, de la vie et de la société va se maintenir.

Ali fit une dernière fois un petit hochement de tête.

Le compte à rebours commence dans la tête du jeune garçon. Dans le système de justice pénale des adolescents, la peine est exécutable immédiatement et les 16 mois qu'il a déjà passés en détention depuis son arrestation ne sont pas déductibles. Il devra patienter encore 18 mois avant de retrouver sa liberté et son noyau familial. Ce sera alors néanmoins une liberté surveillée. La moindre crainte ou incartade concernant son comportement pourrait lui valoir un retour à la case «garde fermée» jusqu'à ce qu'il ait fini de purger sa peine.

D'ici là, il va continuer à passer ses jours et ses nuits reclus dans une des cinq unités de garde fermée d'un centre jeunesse de Montréal situé très à l'écart du centre-ville et isolé dans un environnement boisé. À première vue, on dirait un bâtiment administratif des années 1960. L'intérieur de cet édifice de deux étages ressemble plus à celui d'une école secondaire vieillotte qu'à une prison avec ses longs couloirs éclairés par des lumières blafardes, ses murs en blocs de béton peints et son sol fait de petits morceaux de céramique multicolore coulés dans le ciment, usés par le temps et des décennies de pas. On n'entend pas ces bruits associés au monde carcéral, les cliquetis des serrures, les portes métalliques qui claquent et les cris qui résonnent. Une double porte sécurisée s'ouvre sur le secteur réservé aux jeunes comme Ali placés par la justice en garde fermée. Il faut à nouveau utiliser une carte magnétique pour pénétrer dans chaque unité portant un nom différent. Chacune ressemble à un très grand appartement qui héberge sur deux niveaux un groupe de 12 jeunes âgés de 12 à 20 ans tout au plus, sous la supervision constante de trois animateurs. Ali et tous les autres sont chapeautés par un éducateur choisi sur mesure et avec qui le courant doit très bien passer. Un parrain qui gère les menus détails de sa réinsertion. Un réseau de caméras de surveillance scrutent les allées et venues de ces jeunes dans les méandres de cet environnement carcéral rude où une bagarre est vite arrivée et où l'on veut éviter toute tentative d'évasion. Ali est plus particulièrement gardé à l'œil à cause de la nature du délit pour lequel il a été condamné, mais aussi parce qu'il avait tenté de s'évader de l'établissement où il avait été détenu pendant plusieurs semaines après son arrestation. Un événement qui est peut-être à mettre sur le compte du désespoir et de la panique sachant que cette tentative était survenue le jour où il avait appris que des accusations de terrorisme seraient déposées contre lui.

Tous ces jeunes dits « contrevenants » sont condamnés à vivre ensemble de longs mois en autarcie et sous haute sécurité dans ce cadre austère. Ils ne sont jamais laissés seuls. Chaque sortie de cet espace confiné, que ce soit pour aller à la cafétéria, dans la cour extérieure clôturée ou au gymnase, est encadrée. Des déplacements qui se font dans l'ordre, presque comme des militaires défilant en rang deux par deux ; ils sont réglés au quart de tour et organisés de façon à éventuellement empêcher certains jeunes d'en croiser d'autres. Ces délinquants considérés dangereux ont des profils sociaux et criminels variés. Les centres jeunesse hébergent des paumés, des enfants issus de familles aisées, des récidivistes à la tête dure, des gamins victimes d'un accident de parcours. La plupart ont 16 ou 17 ans. Leur séjour varie de quelques mois à deux ans. Certains ont commis des meurtres ou ont tenté de tuer. D'autres ont fait régner la terreur au sein de gangs de rue – des cas extrêmes.

«Ali le radicalisé», lui, est un spécimen encore rare au Québec. Mais, à l'instar des 11 autres pensionnaires forcés de son unité, il ne voit le ciel bleu et l'horizon qu'à travers les grillages qui entravent la moindre ouverture vers le monde libre. Ses journées, qui débutent vers 9 heures par une rencontre du groupe avec les éducateurs, sont partagées entre des tâches ménagères qui peuvent être rémunérées, les activités scolaires offertes sur place jusqu'à la fin du secondaire, les activités sportives, mais surtout les activités dites cliniques parce que la détention des mineurs n'est pas vue au Québec comme une fin en soi, mais comme le début de la réhabilitation.

Des affiches placardées sur les murs des pièces lui rappellent chaque fois qu'il fait un pas les règles de vie et de comportement dans son unité, mais aussi dans la société, dehors, au-delà des murs et des grillages. Les conseils de résolution de conflit ou de gestion de la colère y sont étalés en lettres majuscules.

Semaine après semaine, mois après mois, Ali qui grandit et mûrit est sondé jusqu'au plus profond de sa pensée et de son raisonnement. Il doit tenter d'expliquer dans ses mots le processus qui l'a conduit inexorablement jusqu'à ce point de presque non-retour. Il doit décortiquer ses comportements, les bons comme les mauvais. Un exercice dit d'auto-observation qui peut être pénible. Souffrant. Mais nécessaire.

Le Québec n'a pas de stratégie spécifique, unifiée et adaptée aux mineurs radicalisés placés dans les centres jeunesse. La recette de réadaptation à laquelle on soumet Ali et les éventuels autres futurs cas semblables qui pourraient être confiés aux centres jeunesse est élaborée localement. La démarche clinique et les outils que l'on va employer sont grosso modo les mêmes que ceux qui seront utilisés pour un petit voleur récidiviste ou un membre de gang de rue. Ou encore un jeune *skinhead* néonazi qui peut être entraîné lui aussi dans les bas-fonds d'une idéologie violente par dépit, par colère ou par influence de l'entourage. Ali est un délinquant comme un autre.

Mais cela n'empêche pas d'aller chercher des conseils externes spécifiques considérés comme des ingrédients de complément à la recette.

Lorsque l'on observe les trajectoires de plusieurs de ces jeunes, le processus de radicalisation puis de basculement vers l'extrémisme violent est intervenu simultanément ou peu après leur éveil religieux ou leur adhésion à une doctrine politique. Et non l'inverse. Pourtant, l'idéologie et les croyances qui ont pu motiver les gestes de ces jeunes délinquants sont quasiment évacuées lors de leur prise en charge. Parce que considérées comme non prédominantes. Peut-être aussi parce que considérées comme un tabou. Peut-être aussi parce qu'assimilées à des sables mouvants sur lesquels il serait périlleux de s'aventurer trop loin. Cette même crainte aussi que connaissent bien les policiers antiterroristes de voir ces individus se refermer dans leur coquille si l'on pousse trop loin la confrontation idéologique. Il n'y aurait donc pas de différence entre un ado qui braque un dépanneur pour se payer de la drogue ou pour des raisons matérielles et un ado qui commet le même délit dans le cadre d'une démarche motivée par une idéologie extrémiste alors que dans ce cas-ci le délit est secondaire ?

Cette façon de « traiter » les mineurs radicalisés est-elle viable à moyen et long terme, si les cas se multipliaient ? Dans le cas d'Ali, cette philosophie qui suscite un débat dans le monde de la recherche sur la radicalisation semble fonctionner. Me Murias ne tarit pas d'éloges à la sortie de la salle du tribunal de la jeunesse en ce 6 avril 2016. Ali, son protégé, « a évolué énormément, c'est un jeune d'une intelligence supérieure, un grand potentiel de réinsertion, un actif pour la société. Tout a été dit par les procureurs, la juge. Il faut remercier les parents et les intervenants. Ça démontre que ça marche, le système juvénile, et que la réinsertion fonctionne. On a pris un jeune qui partait de loin et le travail qui a été fait en centre jeunesse a été exceptionnel. »

Ali profite de moments de détente dans la mini-cour semi-intérieure asphaltée avec vue sur la forêt… au-delà de la double clôture grillagée et coiffée de barbelés. Ou bien encore dans la petite salle communautaire de son unité. Dans un coin de cette pièce exiguë, une table de ping-pong et, dans l'autre, un baby-foot. C'est aussi à cet endroit qu'ont lieu deux fois par semaine les visites familiales. Pour ces 12 pensionnaires forcés, elles sont comme une petite bouffée d'air et de soleil. C'est le monde extérieur qui vient à eux. La liberté. L'espoir. Lorsque la nuit arrive, vers 21 heures, il doit rejoindre sa petite chambre-cellule de dix mètres carrés dont la lourde porte métallique est verrouillée jusqu'au lendemain matin. Des heures pour se reposer, pour lire, pour réfléchir. Il n'y a pas vraiment grand-chose d'autre à faire. L'espace est restreint. L'ameublement est sommaire : un lit, en fait une sorte de planche avec un matelas vérifié régulièrement, un coin rangement et un petit bureau. Les murs sont peints en blanc et lisses, sans aucun crochet qui pourrait devenir outil ou arme, ni aspérité dans laquelle un jeune pourrait dissimuler quelque chose. Même les gommettes destinées à fixer des affiches ou des photos sont bannies.

Les mois passent. Ali peut recommencer à goûter à la liberté. Furtivement. Pour aller suivre des cours au collège. La perspective de pouvoir à nouveau s'immerger dans sa ville grouillante et bruyante après des mois et des mois de réclusion forcée le ravit. Mais le rend terriblement anxieux. Ali, comme plusieurs autres jeunes dans les mêmes conditions que lui, appréhende déjà des situations qui semblent banales au commun des mortels, mais pas pour lui dont la vie a été placée entre parenthèses pendant près de deux ans. Que répondre à un autre élève qui va lui demander son numéro de cellulaire, son compte Facebook ou à celui qui lui proposera de se retrouver chez lui le soir pour finir un travail en équipe? Ali n'a pas de téléphone, ne peut pas naviguer sur Facebook ou Instagram et doit rentrer au centre sitôt son cours terminé.

« MON FILS VOULAIT AIDER... »
6 AVRIL 2017

« Mon fils a changé. Peut-être pas à 100 %, mais il est dans la voie du changement. Je suis convaincu qu'il ne fera pas mal à la société. Il a juré sur le Coran », a assuré le père le jour de la sentence. Un an plus tard, jour pour jour après cette déclaration, cet homme est de retour dans le même édifice où on a scellé le sort de son fils. Une bâtisse qui lui rappelle tant de mauvais souvenirs et qu'il aimerait ne plus jamais revoir. Ali va comparaître de nouveau dans quelques minutes. Cette audience est une étape obligatoire au Canada dans le système de justice pénale pour adolescents. Elle est l'occasion de faire le point sur le processus de réhabilitation et, éventuellement, d'ajuster la peine. Dans son cas, les nouvelles semblent bonnes. Tellement bonnes que l'adolescent n'est plus en garde fermée 24 heures sur 24. Il profite depuis plusieurs semaines d'escapades sporadiques pour aller au collège. Avec un certain succès puisqu'il obtient de bonnes notes.

Mais ce matin-là, les énormes portes de bois clair de la salle d'audience sont encore closes. Deux jeunes filles, pieds nus dans leurs chaussures et en pantalons de jogging gris clair si courts qu'ils laissent voir leurs chevilles, patientent sur des bancs dans le couloir en compagnie de leurs proches. Des avocats en toge noire font les cent pas avec leurs lourds dossiers coincés sous les bras. Son père, lui, s'est réfugié dans un recoin, derrière une colonne en béton, le capuchon de son blouson rabattu sur sa tête. Il se penche sans cesse en avant de quelques centimètres avec la régularité d'un métronome et tend légèrement le visage vers la droite pour observer la caméra d'une équipe de télévision plantée à l'autre bout du couloir. Il la surveille avec anxiété du coin de l'œil, car il ne veut pas être filmé lorsqu'il traversera le couloir pour entrer dans la salle. Cet homme est marqué. Son regard craintif est semblable à celui d'un individu qui doit franchir une rue qu'il sait dans la ligne de mire de tireurs embusqués. «Mon fils est une victime... une victime du contexte international et des propagandistes... Lui, il voulait aider, simplement», me dit-il. Tout est résumé dans cette phrase.

Comme pour lui donner raison, des images abominables filmées quelques jours plus tôt dans le village de Khan Cheikhoun, au nord-ouest de la Syrie, montraient plusieurs enfants morts ou suffoquant, agonisant au sol avec de l'écume plein la bouche. Cette attaque chimique était non seulement une énième horreur dans cette guerre sans fin observée de loin par une planète plongée dans une léthargie et l'indifférence, incapable de trouver une issue à ce conflit, mais elle était surtout un formidable carburant pour la machine à radicaliser les jeunes.

Il est 10 heures. Les portes s'ouvrent enfin. Le père entre d'un pas assuré, avec toujours cette même pochette de documents collée contre sa joue gauche pour se soustraire à l'objectif de la caméra inquisitrice. Quelques minutes plus tard, Ali apparaît dans le box escorté par deux agents assez costauds. Son avocat s'approche pour lui chuchoter quelques mots à l'oreille, lui donne une petite tape amicale d'encouragement sur l'épaule avant de se rasseoir. Une responsable de la Protection de la jeunesse amorce son témoignage. Leur protégé traîne encore de lourdes chaînes, raconte-t-elle, mais aurait fait selon elle des progrès significatifs. Il ne serait plus cet adolescent renfermé, parfois impulsif et aux idées très arrêtées. Au contraire, il se serait «ouvert dans ses relations sociales», démontre une plus grande ouverture, redécouvre les vertus de la nuance… Et même celles de la musique, un art qu'il considérait comme impie à son arrivée en centre jeunesse parce que banni par l'État Islamique. Autant de progrès accomplis grâce à un travail concerté des intervenants spécialisés, psychologues et parents.

En observant Ali pendant que le témoin poursuit son exposé, il paraît effectivement s'être débarrassé de son masque de gamin effronté dont l'apparente indifférence frôlait l'arrogance. Il regarde droit devant lui, il est attentif, il se tourne vers son père lorsque le juge va s'adresser à lui: «Est-ce que monsieur […] a quelque

chose à dire avant que je rende ma décision?» Le quinquagénaire se lève de sa chaise. «Oui, monsieur le juge.»
Le magistrat lui fait signe de s'avancer à la barre des
témoins: «Je vous en prie, monsieur, approchez-vous.»
La greffière lui demande ses nom, prénom, adresse et lui
fait prêter serment. La routine. Puis il commence. Ce
père a décidé de marquer le coup: «Je tiens à dire avec
certitude que mon fils n'est plus radicalisé et ne sera plus
radicalisé. J'ai des signes et des preuves. Il regrette, s'ex-
cuse souvent. Il nous écoute et est attentif à nos conseils.
Les sujets de religion ne l'intéressent plus. Je l'ai testé…
Voilà, monsieur le juge.» Le père d'Ali a fini. Il se pince
les lèvres. Il observe le magistrat.

– Merci, monsieur, lui dit le juge. Est-ce que monsieur […] veut témoigner?

Ali va-t-il saisir cette occasion? J'aimerais l'entendre,
même pour quelques mots. Mais l'adolescent décline
poliment cette invitation du juge après un bref échange
avec son avocat. C'est ce dernier qui prend plutôt la parole
pour souligner le travail réalisé: «La réhabilitation fonctionne, martèle-t-il avec conviction. Quand tout le monde
pousse dans le même chemin, ça donne des résultats.»

Me Murias se rassied. C'est le silence dans la salle de
cour. Le juge réfléchit pendant de longues secondes. Il
consulte ses notes puis prend la parole. Il dit d'abord
constater le «cheminement positif» d'Ali. «C'est encourageant, ajoute-t-il. Mais j'estime que le processus doit
se poursuivre pour que vous puissiez retrouver la société

avec des perspectives d'avenir positives.» En clair, la peine d'Ali est maintenue jusqu'à son terme. Et si tout va bien, dès l'été, il sera de retour chez lui, mais toujours sous surveillance et avec des conditions à respecter. Pendant un an. À la moindre incartade ou au moindre doute, c'est le retour possible en garde fermée.

À la sortie de la salle d'audience, une seule question trotte dans toutes les têtes et est l'objet de discussions : Ali est-il vraiment en train de s'affranchir de ses pensées extrémistes, ce qui signifierait un certain succès de la recette québécoise ou, au contraire, mystifie-t-il avec talent ceux qui l'entourent depuis des mois ? Certains de ces jeunes qui ont été profondément endoctrinés savent très bien dire ce qu'on veut les entendre dire et comment la société veut qu'ils soient, avertissent souvent ceux qui se penchent sur la problématique de la radicalisation violente. La même question s'était posée un an plus tôt lors du prononcé de sa sentence. Bien qu'ils aient fait preuve d'optimisme, les experts consultés avaient concédé leur incapacité à affirmer avec certitude qu'Ali ne présentait plus de risque. Ali pouvait-il néanmoins avoir mystifié à ce point cinq personnes, cinq spécialistes ? Si oui, c'est qu'il est très fort, soufflaient ceux qui ne doutaient pas de la sincérité du cheminement d'Ali et de sa volonté de s'extraire de sa «boîte noire».

La déradicalisation suscite autant de méfiance que de sarcasme. Pour certains, c'est un mythe, une chimère. «Les êtres humains ne se déradicalisent pas», a déjà dit une parlementaire française chargée de se pencher sur les programmes de déradicalisation qu'elle a décrits comme un fiasco, parce que lancés dans une ambiance de panique post-attentats. Constat net et cinglant. Il est vrai que la précipitation est mauvaise conseillère. Elle peut inciter à accorder sa confiance les yeux fermés à des apprentis sorciers opportunistes.

Le système judiciaire avance lui aussi à tâtons. Ces jeunes extrémistes sont une nouveauté pour tous les tribunaux occidentaux. En France, les juges et les procureurs spécialisés dans les dossiers impliquant des mineurs ont reçu une formation particulière axée sur le terrorisme et le contexte idéologique propre à la doctrine djihadiste. Au Québec, il n'y a pas de formation spécifique. Mais, depuis les attentats de septembre 2001, les juges des chambres criminelle et jeunesse de la Cour du Québec sont sensibilisés pendant leurs séminaires annuels aux enjeux reliés au terrorisme et, désormais, à la radicalisation lors d'ateliers donnés par des intervenants spécialisés. Exercice qui se répète lorsque de nouvelles infractions de nature terroriste sont ajoutées au Code criminel.

Quant au mot « déradicaliser », qui n'a fait son entrée qu'en 2017 dans le dictionnaire, il ne fait pas consensus. Plusieurs parmi les chercheurs ainsi que les policiers lui préfèrent les termes désengagement, désembrigadement ou démobilisation. Il ne s'agit pas d'une futile chicane sémantique d'experts. Au Canada, rappellent sans cesse les policiers chargés de la lutte au terrorisme, les agents de renseignement et plusieurs chercheurs, exprimer des idées radicales n'est pas un crime. Une position qui surprend d'ailleurs toujours leurs vis-à-vis européens. Ensuite, répétons-le, contraindre un individu à renoncer à ses croyances est une grave erreur qui ne peut que renforcer son enfermement dans ses propres croyances extrémistes. Le but poursuivi face aux individus concernés est un changement de comportement. Que le recours à la violence pour promouvoir ces idées ne soit plus l'option choisie. Et ce travail passe par les familles et la communauté, y compris certains chefs religieux. Le message, le contre-discours, ne doit pas venir de l'État comme en France, par exemple, mais de la communauté.

Plusieurs de ces jeunes Québécois ont entrepris ce long chemin du désengagement et de la réadaptation dans le calme et à l'abri des regards dans les locaux du Centre de prévention de la radicalisation conduisant à la violence. Un cheminement sur une base volontaire mené par un groupe d'intervenants venus de tous horizons et de tous pays. La philosophie ici est d'adapter la méthode à l'individu plutôt que de faire passer la méthode avant l'individu, comme en France. Que ce soit eux qui ressentent le besoin d'être aidés et qu'ils acceptent ce soutien. Plusieurs sont venus parce qu'ils étaient épris de remords pour la peine et les ennuis causés à leurs parents, car certains ont même perdu leurs emplois. Pour d'autres, c'est la curiosité qui les a incités à sonner à la porte. Ou encore par calcul, histoire de démontrer aux policiers qu'ils sont sur la voie du repentir... Dans les bureaux de cette tour de Babel, la patience est de mise.

L'approche est sociocommunautaire et non pas exclusi-
vement psycho-clinique. Le pourquoi et le contexte qui
ont contribué au processus de radicalisation ont leur importance. Me Murias, l'avocat d'Ali qui est confronté au
quotidien dans son rôle d'avocat à des cas de délinquants
mineurs, estime à juste titre que les jeunes radicalisés
sont des cas d'espèce : « Il ne s'agit pas d'une criminalité
structurée ou de substitution. On parle de radicalisation
idéologique. Il s'agit d'une criminalité politique. » Au
début, plusieurs de ces garçons et filles ne voyaient pas
l'intérêt et, surtout, la nécessité de consulter un psychologue ou un psychiatre. « Je ne suis pas malade », protes-
taient-ils. Plus tard, certains d'entre eux encore stressés
par leur arrestation changeront d'avis.

Il a fallu d'abord les apprivoiser à tâtons, les convaincre
qu'ils ne seraient pas jugés pour leurs gestes passés.
Qu'ils pouvaient revendiquer le droit à l'erreur. Leur
offrir, surtout, des occasions d'être fiers, d'être reconnus
pour leurs actions, de se sentir constructifs. Leur projet
le plus fédérateur fut la conception d'une bande dessinée
destinée à sensibiliser les jeunes à l'extrémisme violent et
dans laquelle ces revenants racontent leur propre expérience. Pour éviter d'autres drames semblables aux leurs
et, surtout, à ceux de leurs copains disparus.

Ce travail de reconstruction s'effectue aussi dans le
noyau familial. Il faut rétablir les ponts, même avec les
frères et sœurs qui ressentent de la rancœur envers celui
ou celle par qui le malheur est arrivé dans la maison et
qui a bouleversé leurs vies. Sans les parents, rien de tout

cela n'est possible. Une jeune fille n'a que de bons mots pour les siens et son père en particulier qui, dès son retour à la maison, lui ont ouvert les bras. Ce papa était prêt à tout pour comprendre ce qui avait pu se passer dans la tête de sa fille. Il ne l'a pas accablée. Il s'en voulait plutôt d'avoir ces derniers mois abrégé leurs conversations sur la politique, la religion, les événements au Moyen-Orient. Cet homme pensait qu'en rompant le dialogue, en répondant peu ou pas aux angoisses et aux questionnements de sa fille, il réglerait le problème. Qu'il désamorcerait la situation. « Or, en fait, pendant ce temps-là, tu cherches les réponses ailleurs, constate-t-elle. C'est à ce moment-là que tu peux tomber dans le panneau parce qu'à cet âge, tu es forcément naïve. Ces parents doivent absolument prendre le temps de parler avec leur enfant. Ce qu'ils ne faisaient peut-être pas avant. Peut-être par peur de l'inconnu. C'est comme parler de la mort, tu ne sais jamais à quelle occasion le faire, quels mots employer. »

C'est ainsi que pendant des jours, cette jeune fille et son père prennent du temps pour parler, pour s'expliquer entre quatre yeux. Un exercice émotif, mais salvateur. Elle a aussi eu l'occasion de discuter religion avec un imam. « Voir ma mère s'effondrer le jour où elle a appris ce que je voulais faire… Voir son père pleurer pour la première fois… C'est à cet instant que j'ai compris que c'était fini. Avec le recul aujourd'hui, je crois que j'étais comme une droguée qui vivait dans un autre monde… J'étais tombée dans le panneau. Quelque chose de bon ne peut pas faire autant de mal autour de soi. »

Et de conclure en citant Socrate : «Je sais que je ne sais rien. »

«Jamais ma maman ne pleurera encore à cause de moi», a juré un jeune garçon après son arrestation par la police. Cette promesse reflète la place de la mère dans le coeur de ces enfants perdus et son rôle-clé dans leur long processus de désengagement et de réinsertion. Le «Bye-bye maman ! » de Karim à sa maman un matin de janvier 2015 n'était certainement pas dans sa tête qu'un «au revoir». Il aurait voulu lui dire aussi : «Excuse-moi maman… Je t'aime… Merci pour tout ce que tu as fait pour moi… » Ceux qui sont restés mais dont les projets de départ ont été contrariés culpabilisent aussi long-temps d'avoir fait de la peine à celle qui leur a donné la vie. Ils cherchent son pardon. Ils ont besoin de son pardon pour se sentir plus légers, pour se convaincre qu'un nouveau départ est possible.

Bien sûr, l'histoire retient toujours les échecs. Et ils existent. Il y a ces inévitables histoires de récidive des faux repentis qui masquent les réussites.

Et il y a ceux et celles qui jurent s'être amendés après avoir été arrêtés, mais dont la marche arrière semble mo-tivée essentiellement par la crainte de la police, la crainte de la justice, et non résulter d'une véritable démarche d'introspection. Leur risque de rechute est bien réel.

« PARDONNEZ-MOI MES ERREURS »
ÉTÉ 2017

À l'automne 2016, le groupe État Islamique commence à vivre son crépuscule sur son terrain en Irak et en Syrie. L'offensive sur Mossoul, son fief irakien et berceau symbolique du califat, débute. La ville est reprise dix mois plus tard, au cours de l'été 2017, à l'issue de combats effrayants, en particulier dans la vieille partie, labyrinthe aux rues étroites.

Cette métropole autrefois animée n'est plus qu'un champ de ruines apocalyptique jonché de carcasses de véhicules tordus et brûlés, et de corps en décomposition dégageant une odeur putride. Et il y a ces images circulant sur les réseaux sociaux montrant des membres des forces de sécurité irakiennes et des milices en train de se livrer à des exactions. Des hommes soupçonnés d'être des djihadistes sont tabassés, giflés, humiliés et même exécutés d'une rafale d'arme automatique ou précipités du haut d'une falaise. Rares sont les victoires guerrières qui ne s'accompagnent pas de vengeances et de purges expéditives.

Les djihadistes locaux et étrangers, dont des jeunes femmes et des mineurs, y ont vendu chèrement leur peau malgré un rapport de force qui leur était plus que défavorable. Mais ce sont les civils pris en étau qui en ont payé le plus lourd tribut. Le chiffre exact des victimes ne sera jamais connu.

Il faut avoir vu ce sauve-qui-peut, ces colonnes d'hommes, de femmes et d'enfants fuyant sous un soleil de plomb les combats, drapeau blanc à la main, pour comprendre. Ces groupes de zombies recouverts de poussière qui surgissent de partout, traînant de lourds sacs, tirant des chariots sur lesquels sont entassés des vieillards, des invalides et des valises défraîchies. Ces enfants pieds nus qui sursautent chaque fois que cognent entre les murs les bruits sourds des explosions d'une bombe larguée par un avion de la Coalition ou d'un véhicule-suicide conduit par un kamikaze.

Il faut avoir vu ces morts et ces blessés graves de tous âges, même des enfants, transportés sur le capot-moteur des véhicules blindés Humvee noir mat des forces spéciales irakiennes fonçant à toute allure et sirènes hurlantes vers une infirmerie improvisée au milieu d'un terrain vague. Certains ont été atteints par les balles des *snipers*. D'autres ont été criblés d'éclats de roquettes ou ont eu un ou des membres arrachés et déchiquetés. «*I need help… I need help*», hurle un médecin volontaire américain. Une vraie boucherie à ciel ouvert où l'on agonise sur des brancards posés sur le sol au milieu des détritus, des lambeaux de vêtements et des pansements tachés de sang coagulé sur lesquels virevoltent les mouches. Les sacs mortuaires en plastique bleu ciel sont déjà prêts à être refermés sous les yeux de proches accablés de douleur et des témoins pétrifiés par ces visions dantesques.

Des images terribles relayées dans les médias que les parents scrutent chaque fois avec angoisse à la recherche d'un visage, celui de l'enfant chéri disparu.

La situation n'est guère meilleure en Syrie, où les troupes gouvernementales, appuyées par les forces russes et diverses milices supplétives, les forces kurdes ainsi que des groupes rebelles soutenus par la Turquie donnent chacun de leur côté des coups de boutoir dans les zones sous contrôle de l'État Islamique. Leur objectif principal est Raqqa, fief syrien du groupe où se sont installés, croit-on, de nombreux jeunes Québécois.

Le territoire originel de l'État Islamique rétrécit inéluctablement comme une peau de chagrin. Mais, peu importe le sort qui attend le groupe sur le terrain, il survivra de longues années sous d'autres formes. Il ne faut pas sous-estimer sa capacité d'adaptation. Quant au projet révolutionnaire d'établir un État Islamique sans sa connotation «terroriste» actuelle, il va aussi demeurer un rêve dans l'esprit de plusieurs. «C'est le rêve de beaucoup de musulmans», confesse avec candeur une jeune fille. Toutes ces nouvelles dramatiques en provenance de Mossoul, d'Alep ou bien de Raqqa la rendent triste elle aussi. Elle a repris le contrôle de sa vie après un épisode de noirceur, mais elle partage la même hantise que les familles et copains de ces jeunes partis en Irak ou en Syrie : apprendre leurs décès, que ce soit lors de combats, d'une frappe aérienne, abattus par des forces spéciales occidentales qui mènent une guerre de l'ombre contre ces djihadistes occidentaux pour les éliminer avant leur éventuel retour dans leurs pays d'origine ou, pire encore, voir leurs photos dans l'un de ces messages diffusés sur les réseaux sociaux par le groupe État Islamique après leur mort en kamikaze. Cette litanie de morts glorifiés *ad nauseam* porte un nom : « La caravane des martyrs ». Une mort violente au combat que certains parents refusent d'admettre. Un mélange de déni et toujours cette peur d'être stigmatisés qui peut les pousser à romancer les conditions dans lesquelles leur enfant est décédé. Ils préféreront parler d'accident. Plusieurs de ces jeunes Québécois ne reviendront en effet jamais à la maison. Pas même leur dépouille glissée à l'intérieur de la soute d'un avion dans un cercueil de métal. Les parents de Karim ont reçu un bref message leur annonçant la mort de leur fils en martyr. « Mon fils est mort… », clamait déjà son père à qui voulait bien l'entendre lorsque son jeune garçon s'est envolé vers le Moyen-Orient. Comme s'il voulait déjà se préparer à l'inéluctable. Une simple phrase de quatre mots seulement lâchée par un homme qui s'était évertué en vain à ramener son fils à la raison en lui racontant les années de terreur que lui et sa famille avaient vécues en Algérie. Une sale guerre qui avait opposé les groupes islamistes aux forces de sécurité algériennes dans les années 1990. Quelques semaines plus tard, la funeste réalité l'a rattrapé. Et il en a fait son deuil. Même si l'incertitude subsiste, faute de pouvoir vérifier hors de tout doute le décès sur place avec de l'ADN.

Les parents de Karim, comme ceux de plusieurs autres jeunes entraînés dans la même galère, sont demeurés sonnés pendant des mois après son départ. C'était à la fois une claque en pleine figure et un échec. Eux qui pensaient avoir tout fait pour le bien de leurs enfants. Une bonne éducation, une maison chaleureuse et confortable, la possibilité de pratiquer les sports qu'ils souhaitaient. Tout. Mais l'idéologie avait vaincu le matérialisme. Alors, ils n'ont eu de cesse de se questionner. De chercher des indices. Qu'est-ce qui leur avait échappé ? Qu'avaient-ils raté ? Comment leur petit garçon si attachant, si souriant avec tout le monde, toujours prêt à donner un coup de main, qui tondait même la pelouse du voisin pour lui rendre service, qui étudiait en sciences pures et rêvait de devenir ingénieur en informatique, a-t-il pu se laisser embarquer dans cette aventure sans lendemain ? Karim, comme plusieurs autres, était un enfant sage qui menait une double vie. Il avait bien caché son jeu. Oh ! bien sûr, il y avait parfois des frictions avec son père, en particulier lorsqu'il avait décidé de se laisser pousser la barbe. « Tu devrais la couper », lui avait-il dit. C'était au moment des attentats à Saint-Jean-sur-Richelieu et à Ottawa, à l'automne 2014. Son père n'aimait pas ça. Ses réticences n'avaient rien à voir avec des considérations esthétiques. Il avait un mauvais pressentiment. Mais Karim avait refusé net. Son père s'était emporté aussi lorsqu'il avait découvert que son fils suivait des cours donnés par un prédicateur à la réputation sulfureuse.

«On leur a tout donné… et voilà… On se demande tout le temps pourquoi c'est arrivé. Mais le responsable [de son départ], ce n'est pas nous», lâche, résignée, la mère de la jeune Rima.

Quelques jeunes partis en Syrie ont songé au retour à la maison. Après leur départ, certains avaient déjà confié leur désillusion à leurs parents. L'un de ces garçons partis en janvier 2015 avait appelé sa mère à l'aide quelques semaines plus tard. Il semblait déjà regretter son exil. Il laissait entendre qu'il était coincé et l'implorait de venir le chercher. Ce fut leur dernière conversation. Ils avaient été confrontés à une dure réalité loin du paradis espéré. Puis, ce dilemme : «Est-ce que j'essaie de me sauver ou bien je reste?» Pour certaines jeunes filles, il était trop tard. Devenues mères, elles réalisèrent qu'il leur était désormais impossible de s'enfuir avec un ou des enfants en bas âge dans les bras. Mais les abandonner derrière elles leur paraissait une option inconcevable. D'autant plus que quelques-unes s'étaient retrouvées veuves à la suite de la mort de leurs jeunes maris.

Quel est le destin de tous ces bébés du djihad nés à Raqqa ou à Mossoul de mères canadiennes et ayant grandi dans un contexte d'hyper violence? Quel statut, quelle citoyenneté une fois de retour au pays pour ces enfants nés de la poursuite d'un projet utopique par leurs parents? En théorie, ils sont Canadiens. Mais faire reconnaître leur citoyenneté ne sera pas chose aisée. Le gouvernement fédéral peut-il accepter un acte de naissance portant le sceau de l'État Islamique? Cette question cause un réel embarras dans les bureaux gouvernementaux.

Et il y a celles, comme la jeune Québécoise Oum Leila, qui refusent tout retour en arrière. Au contraire même. Le déluge de bombes et le chaos ne refroidissent pas ces jusqu'auboutistes. Ces *fan girls* de l'État Islamique tentent encore et toujours de recruter de nouvelles «sœurs» occidentales. Elles relancent aussi avec insistance des amies restées au Canada, comme elles le font depuis leur départ. Elles leur reprochent d'être demeurées, comme leurs parents, indifférentes à leur sort et de ne pas s'être senties interpellées par les raisons qui ont pu les pousser à quitter un pays où elles se sentaient comme dans une prison pour rejoindre le territoire de l'État Islamique. L'argumentaire qu'elles tapent frénétiquement sur le clavier de leur téléphone est immuable : un musulman doit quitter sans délai un «pays de mécréants» pour rejoindre un territoire où la charia est appliquée. Des milliers de personnes ont suivi cette voie, alors qu'attendez-vous ? insiste Oum Leila.

Dès le départ, les agents communautaires de la GRC ont martelé ce message aux parents : continuez de communiquer avec votre enfant. Ne coupez surtout pas les ponts. Même si vous êtes fâchés. Même si vous ne comprenez pas pourquoi votre fils ou votre fille est parti. Ne les boudez surtout pas. Derrière ces plaidoyers humanistes se cache peut-être aussi un intérêt opérationnel, autrement dit la possibilité de suivre ces jeunes à la trace. Plusieurs parents et proches continuèrent à recevoir de temps à autre des nouvelles en provenance de Syrie et d'Irak. Encore une fois, ce sont les mères qui se retrouvèrent en première ligne. C'est à elles que ces jeunes préfèrent se confier plutôt qu'à leur père. Parce qu'elles ne les jugent pas. Elles leur parlent comme le ferait une maman qui s'ennuie de son fils ou de sa fille parti en voyage loin de la maison. «Comment vas-tu mon garçon? Comment s'est passée ta journée? Es-tu en sécurité? Promets-moi que tu ne prends pas de risques. Tu me manques…» Mais, au fil des mois, les échanges se sont raréfiés. Plus les batailles faisaient rage, moins le groupe EI laissait à ses jeunes recrues la liberté de communiquer avec le monde extérieur. Pour des raisons sécuritaires. Dès lors, les conversations entre ces jeunes et leurs familles se déroulèrent manifestement sous surveillance. Il leur fallait alors ruser pour contourner la censure. Coder leurs états d'âme en dissimulant des mots évocateurs dans des messages à priori anodins. Mais certains de ces brefs messages reçus par des parents sur leur téléphone portable expriment le chaos qui règne désormais sur le terrain. Ce sont des gamins paniqués qui expriment autant leur détresse que leur résignation.

> On a plus d'internet, c'est pour ça qu'on vous contacte pas

> Ici la situation n'est pas très bonne, tout peut arriver

> Pardonnez-moi mes erreurs

Ces parents qui ont été catapultés en enfer contre leur gré rêvent sans cesse au jour où ils pourront étreindre leurs enfants après des années de souffrance et d'angoisse. Les mères, surtout : «Même si j'essaie de ne plus y penser, on survit grâce à cet espoir... C'est ma fille quand même», dit la mère de Rima, qui espère à mots couverts que sa fille soit arrêtée par des militaires puis renvoyée au Canada. Ces mamans échafaudent des scénarios. Elles imaginent déjà leur fils ou leur fille reprendre comme si de rien n'était, après cette parenthèse tragique, leur routine quotidienne... Les cours à l'université, les repas en famille, les vacances. Pour ces jeunes et leurs proches, le retour est synonyme d'espoir d'un temps nouveau. Ce retour, certains parents ont voulu le précipiter en se rendant à la frontière turco-syrienne dans l'espoir de retrouver leur enfant et de le convaincre de revenir avec eux.

Cette voie du retour est une route minée tant les obstacles sont nombreux. Plus le temps passe, plus ils sont prisonniers comme des rats en cage. S'échapper des territoires sous contrôle de l'État Islamique est devenu de plus en plus difficile. La fuite est considérée comme une trahison. Et trahir peut signifier la mort. Les traîtres meurent comme les soldats déserteurs étaient fusillés pendant certaines guerres. C'est aussi la mort qui guette ceux qui choisissent de rester. La mort lors de combats. Et s'ils sont capturés vivants par les forces irakiennes, ils risquent la peine de mort, sentence pouvant être infligée aux djihadistes par la justice locale.

Il y a aussi ce mur imposant érigé par la Turquie en 2016 à sa frontière avec la Syrie. À ses pieds de béton s'étend une large zone désormais sous contrôle des milices kurdes du YPG (Unités de protection du peuple kurde) ou de groupes rebelles opposés à l'État Islamique qui ne font pas de cadeaux aux fuyards soupçonnés d'appartenance à l'organisation. Avec un peu plus de chance, ils se retrouveront dans des maisons transformées en geôles de fortune par certains groupes rebelles, véritables *no man's land* juridiques où croupissent des combattants étrangers ayant fait défection et leurs familles. Rares sont les pays occidentaux pressés de les récupérer… Pour beaucoup, il s'agit d'une ultime étape avant un départ pour la Turquie où ils seront inévitablement arrêtés, jugés pour les cas considérés comme les plus graves ou expulsés vers leurs pays d'origine pour les autres. C'est à partir de ce moment qu'ils pourraient se retrouver entre les griffes de la police et de la justice canadiennes. Certains choisiront peut-être de se mêler aux flots de réfugiés qui fuient les combats. En Irak, les hommes sont d'abord séparés des femmes et de leurs enfants afin d'être interrogés par les forces de sécurité qui traquent les djihadistes. Les femmes non combattantes, et leurs enfants, atterriront probablement dans des camps du nord de la Syrie ou d'Irak où survivent des familles de djihadistes.

Les vrais déçus du djihad suscitent toutes les méfiances. Leur repentir est à priori suspect. Les revenants de ces zones de conflits sont considérés désormais comme la menace numéro un à moyen terme par les services occidentaux de la lutte au terrorisme. À cause de leur expérience paramilitaire, de leur endoctrinement profond. Parce que plusieurs de ces individus ayant séjourné dans ces régions ont aussi été impliqués dans des attentats meurtriers en Europe, particulièrement en France et en Belgique. Ces jeunes le savent et leurs parents également. Ces derniers, désemparés, se risquent parfois à appeler à la rescousse les policiers de la GRC. Ils les supplient d'intervenir. Ils viennent de lire des nouvelles en provenance de médias irakiens annonçant, par exemple, la capture de Canadiennes de l'État Islamique dans les ruines de Mossoul. Ils sont anxieux de savoir si leurs filles figurent parmi les prisonnières. Leur espoir de les revoir s'est vite éteint. Il n'y aurait jamais eu de Canadiennes arrêtées. D'autres parents veulent aussi avoir la preuve que leur fils est vraiment mort. L'incertitude les ronge.

Aucun policier occidental ne se risquerait dans ces zones de conflit, mais les agents se veulent quand même rassurants. Ils disent aussi à ces parents qu'ils feront ce qu'ils peuvent pour les aider, mais ils ne peuvent pas promettre que leur enfant, s'il est arrêté en Syrie, en Irak ou dans les pays limitrophes, ne sera pas visé par une enquête criminelle au Canada. Ceux qui ont combattu, ceux qui se sont livrés à des exactions, doivent s'attendre à être poursuivis. À condition de pouvoir en recueillir une preuve hors de tout doute. Autant dire une mission quasi impossible.

* * *

Ali est enfin rentré chez lui. Il ne revenait pas d'Irak ou de Syrie, mais il s'est enfui de sa « boîte noire ».

L'enfant prodigue susciterait déjà de bons espoirs de réadaptation dans la communauté.

Il semble avoir émergé des ténèbres après un long voyage intérieur.

Son père est redevenu père. Sa mère est redevenue mère.

Le retour, c'est déjà le début du pardon.

POST-SCRIPTUM

La suite de cette histoire t'appartient, Ali. Mais sache que tu pourrais devenir une source d'inspiration pour ceux et celles qui seraient tentés d'emprunter des voies sombres ou qui se sont déjà perdus dans les labyrinthes d'idéologies violentes, quelles qu'elles soient. Tu es le mieux placé pour leur parler. Les mettre en garde. Et, surtout, pour leur démontrer que la réadaptation n'est pas toujours une utopie. Salut!

TABLE DES MATIÈRES

REMERCIEMENTS

Cet ouvrage n'existerait pas sans la collaboration de plusieurs personnes et organismes qui ont accepté de m'aider, de répondre à mes questions et même, dans certains cas, d'en relire le manuscrit. Pour diverses raisons, dont de confidentialité, la plupart de leurs noms n'apparaissent pas dans cet ouvrage ou bien ont été modifiés.

Je les remercie sincèrement pour le temps qu'ils m'ont consacré, mais aussi pour la confiance qu'ils m'ont témoignée. Je pense, en particulier, à certains jeunes ainsi qu'à des membres de familles touchées par ce phénomène de la radicalisation violente. Leur contribution est essentielle.

Toute ma gratitude va aussi à l'équipe des Éditions La Presse qui m'a accompagné encore une fois dès les balbutiements de ce projet. Notamment Caroline Jamet, Jean-François Bouchard, Yves Bellefleur, Sandrine Donkers, Emmanuelle Martino, Véronique Beaudry, Caroline Perron, Simon L'Archevêque et Annie-France Charbonneau. Et, enfin, à Augustin de Beaudinière, jeune illustrateur talentueux qui s'est lancé avec enthousiasme dans cette aventure et dont les dessins en sont un complément indispensable.

DU MÊME AUTEUR

Montréalistan. Enquête sur la mouvance islamiste, Stanké, 2007.

Ces espions venus d'ailleurs. Enquête sur les activités d'espionnage au Canada (avec Michel Juneau-Katsuya), Stanké, 2009 et 10/10, 2010.

Martyrs d'une guerre perdue d'avance. Le Canada en Afghanistan, Stanké, 2010.

Taupes – Infiltrations, mensonges et trahisons (avec Vincent Larouche), Les Éditions La Presse, 2014.

Djihad.ca (avec Vincent Larouche), Les Éditions La Presse, 2015.